CHRISTIAN BOURGOIS ÉDITEUR
8, rue Garancière - Paris VI

La vie est dégueulasse, n° 1753.
Le soleil n'est pas pour nous, n° 1754.
Sueur aux tripes, n° 1755.
L'Ombre du grand mur, n° 1810.

Nouveaux Mystères de Paris :

Brouillard au pont de Tolbiac (13e arrt), n° 1756.
Le sapin pousse dans les caves (6e arrt), n° 1811.
Les Eaux troubles de Javel (15e arrt), n° 1812.
Les Rats de Montsouris (14e arrt), n° 1813.
Casse-pipe à la Nation (12e arrt), n° 1838.
Fièvre au Marais (3e arrt), n° 1839.
Pas de bavards à la Muette (16e arrt), n° 1840.
Du rebecca rue des Rosiers (4e arrt), n° 1861.
L'Envahissant Cadavre de la Plaine Monceau, n° 1862.
Micmac moche au Boul'Mich (5e arrt), n° 1884.
Boulevard... ossements (9e arrt), n° 1883.
M'as-tu vu en cadavre? (10e arrt), n° 1888.
Corrida aux Champs-Élysées (8e arrt), n° 1889.
Des kilomètres de linceuls (2e arrt), n° 1932.
Le soleil naît derrière le Louvre (1er arrt), n° 1933.

Autres enquêtes de Nestor Burma :

Nestor Burma contre C.Q.F.D., n° 1982.
Nestor Burma et le monstre, n° 2004.

120,
RUE DE LA GARE

PAR

LÉO MALET

Préface et bibliographie
par Francis LACASSIN

Série « *Grands Détectives* »
dirigée par *Jean-Claude Zylberstein*

FLEUVE NOIR

©Fleuve noir, 1983.
ISBN 2-264-01271-4

120, RUE DE LA GARE
ROMAN POLICIER,
ROMAN « HISTORIQUE »

120, rue de la Gare (1943) est un roman « histo-rique » à bien des titres. Avec lui, le roman noir, genre littéraire nouveau, entre en France, deux ans avant d'y être officiellement accueilli, avec un tapis rouge (sang) par la célèbre collection « Série Noire ».

Ce roman marque également l'entrée en scène de Nestor Burma, le « détective de choc, l'homme qui met le mystère K.O. », et qui dirige, vaille qui vaille, au milieu des intempéries de toutes sortes, l'agence « Fiat Lux ». Elle est située au coin de la rue Sainte-Anne et de la rue des Petits-Champs, là où avant la guerre il vendait des journaux à la criée.

Enfin, c'est le premier volume signé par Léo Malet.

Jusqu'ici son nom n'est apparu que sur la couver-ture de plaquettes surréalistes et de manifestes éga-lement surréalistes, entre 1932 et 1940. Puis c'est la guerre, et l'arrestation pour atteinte à la sûreté inté-rieure et extérieure de l'État – à cause d'un tract pacifiste : en pleine guerre! Libéré par les Français, en pleine débâcle, il est raflé sur la route de Rennes à Paris par les Allemands, interné au stalag XB près de Trêves.

. Grâce à la bienveillance d'un médecin, Robert

Desmond (auquel est dédié *120, rue de la Gare*),
Malet bénéficie d'une libération médicale en février
ou mars 1941. Après avoir repris son souffle auprès
de sa femme Paulette, à leur domicile de Châtillon-
sous-Bagneux, il reprend contact avec ses copains du
Café de Flore, à Saint-Germain-des-Prés : les frères
Prévert, Henri Filipacchi, Louis Chavance, Fabien
Loris, Yves Deniaud...

Chavance lui apprend que l'éditeur Ventillard
recherche des auteurs capables de confectionner de
faux romans anglo-saxons pour compenser la dispari-
tion des « vrais » des vitrines des libraires. Malet en
écrit deux : *Johnny Metal* (signé Frank Harding)
paru fin 1941 ; et *La Mort de Jim Licking* (signé Léo
Latimer) paru quelques mois plus tard. Malet,
aujourd'hui encore ne prend guère au sérieux ces
pastiches situés dans une Amérique de fantaisie : à
ses yeux, de simples pochades réussies par « un coup
de bol ».

Leur succès – un tirage de 40 000 exemplaires
rapidement épuisé – l'amène à prendre conscience
de sa vocation de romancier... et de la faculté nourri-
cière qui en découle. Il décide donc de prendre la littérature au sérieux et d'écrire un roman situé non
plus dans une Amérique de carton-pâte mais dans un
environnement plus authentique peuplé par des per-
sonnages et des silhouettes qui lui soient familiers.
Donc dans un environnement français et nourri, pour
plus de sûreté, par beaucoup de notations auto-
biographiques. Ainsi prend naissance, au cours de
l'hiver 1942-1943, *L'Homme qui mourut au stalag*.

Si l'on en doutait, Nestor Burma c'est Malet
moins les lunettes. Le roman débute au stalag où
Malet était prisonnier, et où Burma l'est aussi. Le
détective est fasciné par un de ses codétenus, le
60 202, amnésique et donc mystérieux. Plus que
mystérieux en raison de ses pieds atrocement brûlés,

comme si on avait voulu le faire parler, selon la
recette éprouvée des « chauffeurs ». Dans un souffle
d'agonie, il parvient à dire à Burma : « Dites à
Hélène... 120, rue de la Gare... »

C'est à partir de ces quelques mots, d'une bonne
mémoire quant aux grands faits divers de l'avant-
guerre... et grâce à un flair remarquable que Burma
percera le secret de l'homme, qui mourut au stalag.
Auparavant il est libéré et démobilisé à Lyon. Une
ville bien connue de Malet qui la fréquenta à plusieurs reprises, surtout à travers ses faubourgs et
usines, au temps de la vache enragée entre 1927 et
1930. L'intrigue s'achève à Châtillon-sous-Bagneux,
à quelques dizaines de mètres où l'auteur allait
écrire la quasi-totalité de son œuvre jusqu'en 1959.

La dernière ligne tracée, il apporte son œuvre à
une maison alors très dynamique de la rue Monsieur-
le-Prince, les Éditions Jean-Renard. Elles ont créé
un prix du roman policier décerné sur manuscrit et
qui entraîne la publication des œuvres primées.
L'homme qui mourut au stalag agonisera pendant
tout le printemps 1943 dans les tiroirs des Éditions
Jean Renard.

Jusqu'au jour où l'un des copains du *Flore*
annonce à Malet la création d'une nouvelle maison
d'édition laquelle recherche des manuscrits pour sa
collection policière. Il s'agit de la S.E.P.E. Société
d'Éditions et Publications Européennes; elle deviendra à la libération la Société d'Éditions et Publications en Exclusivité... sans cesser pour autant de rester la S.E.P.E.

Malet fonce aussitôt chez Jean-Renard, récupère
son manuscrit et l'apporte en mains propres au
gérant de la S.E.P.E., André Simon, en se
recommandant de Filipacchi. Simon n'apprécie pas
le titre : *L'Homme qui mourut au stalag*; il lui
paraît morbide et inopportun. L'auteur se déclarant

tout disposé à le changer, Simon s'engage à recommander le manuscrit à la bienveillance de Jacques Decrest, directeur de la future collection « Le Labyrinthe ».

L'étendue de cette bienveillance inspire à Malet quelque inquiétude. Decrest est le pseudonyme de Jacques Napoléon Faure-Biguet, descendant d'un filleul de Napoléon. Et depuis que le général Malet s'empara de Paris pendant une journée entière en 1813, ce nom a une résonance discordante pour des oreilles bonapartistes.

En vérité, Malet s'inquiète sachant que Decrest, créateur dès 1935 du commissaire Gilles, est l'un des meilleurs soutiens du roman problème; le nom qu'il a choisi pour sa collection est significatif : « Le Labyrinthe ». Et les enquêtes du commissaire Gilles sont rapportées dans une langue élégante, poétique, très éloignée de la gouaille de Nestor Burma. Mais Jacques Decrest est un homme de qualité, courtois, ouvert. Il sait très bien reconnaître les mérites d'une œuvre pourtant éloignée de sa sensibilité personnelle. Il fait seulement une réserve sur le (nouveau) titre. En jouant sur la démobilisation de son détective, Malet trouve amusant d'intituler le *Retour de Nestor Burma* la première apparition de son personnage.

Finalement, les dernières paroles de l'homme qui mourut au stalag donneront au roman son titre définitif : *120, rue de la Gare.* Il paraît fin novembre 1943, c'est le cinquième titre du « Labyrinthe ». Une collection où Burma gardera sa place jusqu'à ce que Jacques Decrest en abandonne la direction, en 1949, pour émigrer aux Éditions de Flore.

Le succès est immédiat. Les droits cinématographiques seront achetés quelques semaines plus tard. Mais le film, interprété par René Dary, sortira seulement en 1946, en raison de l'occupation et de la guerre.

Lecteurs et critiques n'ont peut-être pas saisi immédiatement l'événement d'un genre littéraire nouveau – qui, avec le recul, nous apparaît d'une évidence aveuglante. Mais ils ont tous apprécié le côté novateur de *120, rue de la Gare*. Au lieu du cadre aseptisé du roman problème d'où la pauvreté, l'actualité et l'inquiétude sociale sont exclues – l'auteur plongeait dans la rue au ras du pavé, dans l'univers des pas-un-rond, des hôtels râpés et des bars populo.

C'était une trouvaille très originale que de faire démarrer l'action dans un stalag en Allemagne et de flanquer le lecteur au cœur de ses préoccupations : dans la France disloquée par la défaite. La France du couvre-feu, de la pénurie et du non-dit. La France où l'absence, la méfiance, le mensonge, font partie de la vie quotidienne et pèsent sur une atmosphère que la présence non évoquée de l'occupant rend étouffante.

Exotisme encore pour des lecteurs de la France occupée, le recours au décor de Lyon, fausse capitale de la France en liberté surveillée : les Allemands l'envahiront un an plus tard. Lyon où sont venues doucement s'échouer les épaves de la France d'avant-guerre. Comme Marc Covet et les débris de son journal (*Le Crépuscule*). Malet évoque merveilleusement l'atmosphère confite, ralentie, réticente de cette ville où, à l'effet mélancolique de l'habituel brouillard, s'ajoute une inquiétude sociale inavouée.

Ce qui est nouveau, c'est par-dessus tout une certaine violence physique et verbale dans les rapports humains, une authenticité du récit qui, loin de sacrifier à la complaisance ou aux conventions, n'évite pas la cruauté. Une critique sociale implicite, une vision véridique et âpre du quotidien, un humour dont les sarcasmes dissimulent une certaine tendresse un peu comme la timidité qu'on cache sous l'agressivité... Voilà réunis, déjà, la plupart des ingrédients du roman noir, de ses charmes sombres et contrastés.

Ce n'est pas du tout un hasard s'il est revenu à Malet d'introduire en France le roman noir grâce à *120, rue de la Gare*. L'époque s'y prêtait par l'absence de la littérature et du cinéma anglo-saxons; et par la dureté de la vie, qui rendaient déphasées les conventions littéraires d'avant-guerre. Enfin la personnalité de Malet possédait les qualités conductrices de l'électro-choc dont avait alors besoin le roman policier.

Comparé à ses prédécesseurs illustres du roman policier français, tous hommes de cabinet et bourgeois plus ou moins libéraux, Malet est le plus proche des auteurs du roman américain « hard boiled », du roman « dur à cuire ». Il n'a pas exercé comme eux la profession de boxeur, chauffeur de taxi, barman, videur de boîtes de nuit ou agent électoral aux persuasions rudes. Mais il a été militant anarchiste puis trotskiste, poète surréaliste, ouvrier plâtrier, laveur de bouteilles, crieur de journaux, essayeur de freins hydrauliques pour les avions.

Ce romancier si différent de ses confrères ne pouvait qu'imaginer un détective très peu semblable aux enquêteurs plus ou moins géniaux mis en scène par eux. Une espèce d'anarchiste fraternel et décontracté, à l'humour gouailleur et mélancolique. Un héros qui doit beaucoup à la personnalité de son auteur.

Nestor Burma, l'homme qui met le mystère K.O... et qui est souvent mis K.O. par les gens dont il cherche à percer le mystère. Imagine-t-on Sherlock Holmes ou Hercule Poirot « tabassés » par la pègre londonienne? Au hasard des interviews, Léo Malet a précisé à plusieurs reprises la naissance de ce personnage – à sa manière, hors du commun.

« Par goût de l'authenticité et surtout pour mon plaisir personnel – j'ai voulu créer [...] un personnage français. J'ai hésité : en faire un journaliste? Il y avait Rouletabille. Un policier? Il y avait Maigret... et puis les flics, je n'aimais pas beaucoup. Un bandit? Il y avait Arsène Lupin. Alors, j'ai inventé un détective privé, parce que c'est un personnage libre. Un journaliste appartient à un patron, un policier à une administration... Le détective privé, même dégueulasse, n'appartient qu'à lui-même. C'est une sorte d'aventurier, un marginal, et cela correspond à mon caractère. [1] »

C'est à Sax Rohmer et à une erreur de traduction : Burma au lieu de Birmanie que Malet doit le nom de son détective.

« Le premier volume des exploits du Dr Fu Manchu [2] s'ouvre sur le docteur Petrie, au travail sous la lampe, seul dans son cabinet d'un faubourg de Londres, nimbé de brouillard et plongé dans le sommeil et le silence.

« Soudain on sonne à la porte. Le docteur va ouvrir. Un homme bien charpenté, engoncé dans un pardessus, se tient sur le palier. " Smith! " s'exclame Petrie. " Nayland Smith, de Burma! "

« De tous les romans policiers que j'ai lus, c'est cette scène, absolument dépourvue d'originalité et de sensationnel, qui m'a, je ne sais pourquoi, de beaucoup le plus profondément frappé. Et plus particulièrement les sonorités de cette phrase : " Nayland Smith, de Burma! "

« Aussi lorsque je décidai d'écrire une série de récits comportant un personnage central, ce personnage avait déjà un nom : Burma. Et comme Smith, je le voyais apparaître dans le silence nocturne. Un homme de la nuit tant soit peu onirique. Il fallait le doter d'un prénom. Sans hésiter mon choix se porta sur Nestor (j'ignore pourquoi). Nestor Burma. Cela claquait et faisait un tantinet baraque foraine. (On me l'a reproché, mais j'aime les baraques foraines et leurs " peintures idiotes " comme disait Rimbaud. Peintures idiotes non exemptes de poésie. [3] »

Et puisqu'on parle de poésie, laissons parler Burma lui-même : « Je me suis installé détective privé comme je me serais installé poète. »

Francis LACASSIN

1. Propos recueillis par Françoise Travelet. « La Rue », n⁰ 28, 1ᵉʳ trimestre 1980.

2. Sax Rohmer *Le Mystérieux Dr Fu Manchu.* Dans la collection 10/18, n⁰ 1973.

3. *Comment est né Nestor Burma.* « Mystère-Magazine », n⁰ 132, janvier 1959.

120, RUE DE LA GARE

A mes camarades des chaudières du Stalag X B et plus particulièrement à Robert Desmond.

PROLOGUE

ALLEMAGNE

Annoncer et introduire des gens était une fonction convenant comme un gant à Baptiste Cormier, lequel, outre son prénom caractéristique, avait d'indéniables allures de larbin.

Toutefois, depuis sa dernière place, il avait perdu pas mal de sa correction et pour l'instant, adossé au chambranle de la porte, les yeux au plafond, il se taquinait mélancoliquement une incisive à l'aide d'une vieille allumette. Il s'interrompit soudain dans sa corvée de nettoyage.

— *Achtung !* cria-t-il, en rectifiant la position.

Les conversations cessèrent. Dans un bruit de bancs et de godillots, nous nous levâmes et claquâmes des talons. Le chef de la Aufnahme venait prendre son poste.

— Je vous en prie... repos, dit-il en français, avec un fort accent.

Il porta la main à sa visière et s'assit à son bureau, ou plutôt à sa table. Nous l'imitâmes et reprîmes nos conversations. Nous disposions encore de quinze bonnes minutes avant de commencer notre travail d'immatriculation.

Au bout d'un moment, employé à classer divers papiers, le chef se leva et portant un sifflet à ses lèvres, en tira un son strident. C'était l'annonce qu'il avait quelque chose à nous communiquer. Nous nous tûmes et nous tournâmes vers lui pour l'écouter.

Quelques instants il parla en allemand, puis il se rassit et l'interprète traduisit.

Le chef nous faisait, selon son habitude, les recommandations ordinaires touchant notre travail. En outre, il nous remerciait pour l'effort que nous avions fourni la veille en enregistrant un grand nombre de nos camarades. Il espérait que la tâche se poursuivrait à ce rythme et qu'ainsi, demain au plus tard, nous pourrions en avoir terminé. Pour notre peine, il allait nous faire octroyer un paquet de tabac par homme.

Des « danke chen » malhabiles et quelques rires étouffés accueillirent cette manifestation d'humour tranquille qui consistait à nous gratifier du tabac confisqué la veille, à la fouille, aux gars que nous allions immatriculer. L'interprète fit un signe. Cormier délaissa ses dents et ouvrit la porte.

— Les vingt premiers, dit-il.

De la masse d'hommes rangés le long de la baraque, un groupe se détacha et vint vers nous dans un roulement de godillots cloutés. Le travail commença.

J'occupais un bout de table. Mon rôle consistait à demander à chacun de nos camarades arrivés l'avant-veille de France un wagon de renseignements, à noircir avec cela une feuille volante qui, passant par les neuf « schreiber » de la table, aboutissait, en même temps que son titulaire, à la fiche finale sur laquelle le K.G.F. apposait l'empreinte de son index. C'était un jeune belge qui remplissait les fiches définitives. Son travail était sinon plus compliqué que le mien, en tout cas plus long. A un moment il me demanda de ralentir ; il était submergé.

Je me levai, allai prévenir Cormier de ne plus envoyer personne se faire immatriculer à notre table et sortis me dégourdir les jambes sur le terrain gras.

On était en juillet. Il faisait bon. Un soleil tiède caressait le paysage aride. Il soufflait un doux vent du sud. Sur son mirador, la sentinelle allait et venait. Le canon de son arme brillait sous le soleil.

Au bout d'un instant, je regagnai ma table, tirant avec satisfaction sur la pipe que je venais d'allumer. Le Belge était désembouteillé. Nous pouvions repartir.

Avec mon couteau, je taillai soigneusement le crayon à l'aniline fourni par la *Schreibstube*, puis j'attirai à moi une fiche blanche.

— Au premier de ces messieurs, dis-je, sans lever la tête. Ton nom ?

— Je ne sais pas.

Cela fut dit d'une voix sourde.

Assez étonné, j'examinai l'homme qui venait de me faire cette réponse imprévue.

Grand, le visage maigre mais énergique, il devait avoir plus de quarante ans. Sa calvitie frontale et sa barbe hirsute lui donnaient une curieuse allure. Une vilaine cicatrice lui barrait la joue gauche. Comme un idiot, il triturait son calot entre ses mains, qu'il avait remarquablement fines. Il promenait sur nos personnes des yeux de chien battu. Les revers de sa capote s'ornaient de l'écusson rouge et noir du 6e génie.

— Comment... tu ne sais pas ?

— Non... Je ne sais pas.

— Et tes papiers ?

Il eut un geste vague.

— Perdus ?

— Peut-être... Je ne sais pas.

— As-tu des copains ?

Il marqua une brève hésitation, ses mâchoires se contractèrent.

— Je... je ne sais pas.

A ce moment, un petit bonhomme à tête de voyou qui, tout en attendant son tour à une table voisine, ne perdait pas un mot de cette étrange conversation, vint vers moi.

— C'est un dur, dit-il en se penchant. (Il avait la voix éraillée des pégriots et parlait en tordant la bouche,

sans doute pour faire « méchant ».) Oui, un mariolle.
Ça fait plus d'un mois qu'il fait le dingo. Une combine
comme une autre pour se faire réformer et libérer,
comme de juste.

— Tu le connais ?

— Comme ça. J'ai été « fait » avec lui.

— Où cela ?

— A Château-du-Loir. Je suis du 6ᵉ Génie.

— Lui aussi, sans doute, remarquai-je en désignant
l'écusson.

— Ne te fie pas à ça. C'est une capote qu'on lui a
donnée à Arvoures...

— Sais-tu son nom ?

— Nous, on l'appelait La Globule... mais son vrai
nom, je ne l'ai jamais su. Il n'avait même pas un journal
dans sa poche. Lorsque je l'ai vu pour la première fois,
nous étions déjà prisonniers. Je vais t'expliquer. Nous
étions une dizaine dans un petit bois. Un copain,
envoyé en reconnaissance, venait de nous avertir
d'avoir à faire gaffe. Les Allemands rôdaient aux
alentours. Bref et fin finale, on a été faits comme des
rats. Encadrés par les Feldgrau nous nous acheminions
bien sagement vers une ferme où pas mal des nôtres
étaient déjà captifs, lorsque nos sentinelles nous firent
stopper près d'un autre petit bois. Un type, la gueule
ensanglantée, essayait de traverser le chemin en ram-
pant... C'était La Globule... Il avait tellement mal aux
ripatons — il se les était roussis quelque part — qu'il ne
pouvait plus s'appuyer dessus... Et il roulait des calots,
je ne te dis que ça... Et il était sapé...

Il se mit à rire en accentuant la torsion de sa bouche.

— Drôle de travail, continua-t-il. Il donnait l'impression d'avoir voulu échapper aux Allemands en s'habil-
lant en civil. Mais à moitié, car le principal manquait :
le falzar et le veston. Il s'était contenté de mettre ce
qu'il avait, c'est-à-dire une chemise et une cravate. Une
vraie chemise et une vraie cravate de civil. Et il se
baladait là-dedans avec son uniforme par-dessus. Je te

dis : un vrai branque... ou un mec rudement fortiche. Toujours est-il qu'il ne pouvait mettre un pas devant l'autre. Nos gardiens ont choisi les deux plus costauds parmi nous et leur ont collé le type à porter... Et ainsi nous sommes arrivés à la ferme et plus tard au camp en question... Après s'être fait soigner les pieds qu'il avait drôlement en compote, et la blessure du visage, il est resté avec nous et nous n'avons jamais rien eu à lui reprocher. Il était doux, poli et nous racontait qu'il ne se souvenait plus de rien anté... anté... Bon Dieu, un drôle de mot...

— Antérieurement ?

— C'est ça... Antérieurement... Oui, il ne se souvenait plus de rien antérieurement à sa capture. Comment trouves-tu le bouillon ? Enfin... chacun sa chance...

— Ce n'est pas un homme du 6ᵉ Génie ?

— Non. Je te dis, la capote lui a été donnée au camp d'Arvoures. Entre parenthèses, dans cet endroit nous étions nombreux de ce régiment... Eh bien, pas un d'entre nous ne connaissait ce gars-là...

Il eut un clin d'œil complice.

— Je le répète, c'est un dur. C'est Bébert qui te le dit et Bébert s'y connaît.

— Comment se fait-il que, dans un tel état de santé, il soit arrivé jusqu'ici ?

Bébert poussa un « Ah !... » formidable et prolongé, laissant entendre que je lui en demandais trop.

Je me levai, insérai ma main sous le bras de l'homme qui ne savait plus son nom. J'avais du mal à le prendre pour un simulateur. Le chef de la Aufnahme écouta attentivement l'exposé de l'interprète, puis il promena son œil monoclé sur le malheureux amnésique.

— Qu'on le mette en observation à l'hôpital, ordonna-t-il. Les docteurs diront si cet homme veut se jouer de nous.

J'entraînai l'homme vers ma table où je remplis sa fiche rose. Ce ne fut pas long. C'était la plus succincte de toutes : « *X...* Krank. *Amnésie.* » Mais l'homme

était désormais pourvu d'un état civil. A défaut de
nom, il avait un matricule. Pour tous, il était le 60 202.

**

Les pieds enfoncés dans le terrain caoutchouteux je
fumais ma pipe en rêvassant, adossé à la baraque 10-A.

Coupée en son mitan par les rails cahoteux et posés
de guingois de la ligne Decauville, l'allée centrale du
camp étalait devant moi sa longue perspective. En
évitant les flaques d'eau boueuse, des groupes déambu-
laient. Sur les seuils des baraques, accotés au chambranle des portes ou assis sur les marches, les K.G.F.,
mains passées au ceinturon ou au plus profond des
poches, fumaient en devisant. Du linge, agité par le
vent, séchait aux fenêtres. De la profondeur d'une
baraque, parvenaient les sons plaintifs d'un harmonica.
Sous le soleil joyeux de ce dimanche matin, on eût dit
une ville de chercheurs d'or.

Le docteur qui avait assumé la garde de nuit sortit de
l'infirmerie. C'était la relève. Accompagné d'une sentinelle débonnaire, il allait regagner le *Lazarett* situé à
deux kilomètres du camp. C'était un excellent chirurgien, d'après ses confrères. Comme docteur, et pour
cette raison, de l'avis de tous, c'était un tocard. Arrivé
à ma hauteur, il s'immobilisa.

— Mon nom est Hubert Dorcières, se présenta-t-il
comme s'il se fût trouvé dans un salon du noble
faubourg. Sauf erreur, le vôtre est Burma. Vous avez, il
y a un peu plus d'un an, tiré ma sœur d'une situation
délicate... Je puis dire que vous lui avez rendu l'honneur... Vous en souvenez-vous ?

Je m'en souvenais très bien. Je savais aussi qu'ayant
été plusieurs fois « consultant » depuis mon arrivée au
stalag, j'avais eu l'occasion d'être examiné par ce
toubib et qu'il s'était contenté de me prescrire les
pilules traditionnelles, sans daigner s'apercevoir que

nous étions de vieilles connaissances. Mon nom figurait pourtant en toutes lettres sur le cahier de visites.

De mon côté, je l'avais plus ou moins reconnu, lors de notre première entrevue. A la barbe près. Lors de l'affaire de chantage dont avait été victime sa sœur, il était rasé. Je lui en fis la remarque, par politesse, histoire d'avoir l'air de m'intéresser à lui. Le diable seul pouvait savoir à quel point je m'en contre-moquais.

— Petite fantaisie de prisonnier, dit-il; souriant et se caressant le collier. (Puis, baissant exagérément la voix, pour simuler un air profondément conspiratif :) Comment se fait-il qu'un habile détective dans votre genre ne se soit pas encore évadé ?

Je répondis que je n'avais pas bénéficié de vacances depuis longtemps et que, pour moi, cette captivité en tenait lieu. Je ne voyais pas pourquoi je les abrégerais de moi-même. En outre, ma santé délicate s'accommodait fort bien du grand air. Et puis, entre nous, n'étais-je pas là spécialement pour dépister, avec mon flair du tonnerre, les tireurs au flanc ? Et, etc., etc. De fil en aiguille, je lui dis que j'étais chômeur depuis l'avant-veille. La *Aufnahme* était temporairement terminée et nous ne reprendrions pas nos crayons avant trois semaines. Ne pourrait-il pas me procurer un emploi au *Lazarett* ? Je pouvais faire l'infirmier.

Il me regarda, comme il devait, dans le civil, regarder les domestiques qui venaient proposer leurs services et cela ne me plut guère. Enfin, il laissa échapper de ses lèvres minces une kyrielle de : « Oui, oui, oui », et m'invita à le venir voir le lendemain à la *Revier*.

Nous nous serrâmes la main.

Je cognai ma pipe contre les marches de bois. A la place des cendres que je venais de disperser sur les maigres bouquets de bruyère, je mis le produit polonais qu'on nous vendait à la cantine sous le nom de tabac. C'était une espèce de dynamite à ébranler les estomacs, très suffisante pour enfumer le paysage et répandre alentour une odeur poussiéreuse, agréablement âcre.

Poli comme un sou neuf, le docteur Hubert Dorcières pouvait faire illusion, mais pour ce qui était de
rendre service, mieux valait repasser.

Il fit traîner l'affaire en longueur — s'il s'en occupa
jamais — et s'il n'avait dépendu que de lui, je serais
parti en *Kommando*. Je ne dis pas que j'aurais été plus
mal, mais j'avais un faible pour les barbelés et sous le
soleil couchant les miradors avaient une sacrée allure
qui satisfaisait ma soif d'esthétique spéciale.

Heureusement, j'avais un ami dans la place. Paul
Desiles. Toubib aussi, petit, blond et frisé, une sympathique bouille carrée. En un tournemain il me trouva
une planque à l'hôpital. Là, j'eus plusieurs fois l'occasion de voir le matricule 60 202.

Son état était toujours aussi déconcertant, et de l'avis
de la Faculté (franco-allemande), ce n'était nullement
un simulateur. Incurable, il fut décidé qu'il ferait partie
du prochain convoi de rapatriables. En attendant, il
passait ses journées assis à la limite du camp, à vingt
mètres des chevaux de frise, le menton dans ses mains
fines et le regard plus perdu que jamais.

A diverses reprises, j'essayai d'avoir avec lui une
conversation qui ne fût pas trop décousue. Ce fut peine
inutile. Une fois, cependant, il me regarda avec un
certain intérêt et me dit :

— Où puis-je vous avoir vu ?

— Je m'appelle Nestor Burma, dis-je, frémissant de
tout mon être à l'idée d'élucider le mystère de la
personnalité de ce malheureux. Dans le civil, je suis
détective privé...

— Nestor Burma, répéta-t-il d'une voix changée.

— Oui. Nestor Burma. Avant la guerre, je dirigeais
l'Agence Fiat Lux...

— Nestor Burma.

Il pâlit, comme s'il fournissait un effort considérable,

sa balafre se fit plus nette, puis il eut un geste profondément las.

— Non... cela ne me rappelle rien, souffla-t-il, avec un accent douloureux.

Il alluma sa cigarette d'une main tremblante et s'en fut en traînant les pieds se reposer près du grillage, face au mirador et au petit bois.

Les jours, les semaines, les mois passèrent. Quelques grands blessés avaient déjà pris le chemin de la France. Le 60 202 jouait de malchance. Son numéro qui, primitivement, figurait sur la liste des départs, avait été omis au dernier moment par un bureaucrate négligent et l'amnésique était condamné à promener, durant encore de longues semaines, sa détresse dans les allées ratissées du *Lazarett*.

Novembre était venu et le travail ne manquait pas. Un jour, une voix grasseyante s'exclama, à la vue du 60 202 :

— Tiens, il n'est pas encore retourné au pays, La Globule ? Pour un mariolle, ça la foutait plutôt mal.

L'homme qui parlait ainsi revenait de *Kommando*. Blessé à la main, il était de petite taille, avait une tête caractéristique de voyou et ne pouvait pas prononcer un mot sans tordre la bouche.

— Eh bien ! Bébert, comment va ? dis-je.

— Ça pourrait aller mieux, grogna-t-il, en montrant son pansement. Je n'ai plus que deux doigts et j'ai manqué y laisser la poigne entière. Enfin...

Ce n'était pas un type cafardeux. Il ricana, avec une nouvelle torsion de bouche, véritablement extraordinaire :

— ... Espérons qu'avec ça, c'est la fuite assurée... et je n'aurai pas eu besoin de faire le branque comme cézigue...

Quelques jours plus tard, il fut réformé, en effet, et

revint en France, en même temps que moi, par le
convoi de sanitaires de décembre, convoi de
1 200 malades parmi lesquels on eût dû compter l'amnésique si, lorsque nous quittâmes le stalag il n'avait
reposé avec son secret, depuis déjà dix jours, près du
petit bois de sapins, dans la lande sablonneuse, balayée
par le vent marin.

*
**

Un soir... j'étais absent. Le service m'avait envoyé,
avec trois autres infirmiers, chercher les K.G.F.
malades dans un *Kommando* éloigné... Lorsque nous
rentrâmes, on m'apprit qu'il avait été brusquement
terrassé par une vilaine fièvre. Dorcières, Desiles et les
autres se déclarèrent impuissants à déceler le mal.

Une semaine entre la vie et la mort, puis, un
vendredi, alors que le vent hurlait dans les fils électri-
ques et qu'une méchante pluie martelait lugubrement
les toits de zinc des baraques, il était passé, subitement,
pour ainsi dire.

J'étais de service dans la salle. A part le sabbat
extérieur, tout était calme. Les malades reposaient
doucement.

— Burma, avait-il appelé, d'un accent déchirant et
triomphant à la fois.

J'avais tressailli, comprenant, au ton, que ce nom
était prononcé par quelqu'un qui, enfin, savait ce qu'il
disait. En dépit du règlement, j'avais immédiatement
fait la lumière partout et m'étais rapidement approché.
Les yeux de l'amnésique reflétaient une lueur d'intelligence que je ne leur avais jamais connue. Dans un
souffle, l'homme avait dit :

— Dites à Hélène... 120, rue de la Gare...

Il était retombé sur sa paillasse, le front baigné de
sueur, les dents claquantes, exsangue, plus blanc que le
drap sur lequel il reposait.

— Paris ? avais-je demandé.

Son regard s'était alors chargé d'une flamme plus vive. Sans répondre, il avait esquissé un signe affirmatif. Il était mort aussitôt après.

J'étais resté perplexe un bon bout de temps. Enfin, je m'aperçus de la présence de Bébert à mes côtés. Il était là depuis le début... mais tout cela avait été si court.

— Pauvre vieux, dit le voyou. Et moi qui le prenais pour un chiqueur.

Alors, s'était produit un curieux phénomène. La sentimentalité bébête de l'escarpe m'avait débarrassé de la mienne. Subitement, je ne fus plus le *Kriegsgefangen*, sur lequel les barbelés pesaient au point de lui enlever toute originalité, mais Nestor Burma, le vrai, le directeur de l'Agence Fiat Lux, Dynamite Burma.

Heureux d'avoir retrouvé ma vieille peau, je commençai les opérations. Dans le bureau désert du major, je m'étais procuré un tampon d'encre et, revenu auprès du mort, j'avais soigneusement recueilli ses empreintes digitales, sous les yeux stupéfaits de Bébert.

— T'es dégoûtant, avait-il craché, méprisant. T'as tout d'un flic.

Je m'étais esclaffé, sans rien dire. Puis, j'avais éteint. En écoutant la pluie, je m'étais pris à rêver, songeant qu'il ne serait pas inutile de demander au prêtre chargé de ce service la photo de ce mystérieux malade, histoire de compléter son dossier.

PREMIÈRE PARTIE

LYON

CHAPITRE PREMIER

LA MORT DE BOB COLOMER

La lueur bleue de la lampe en veilleuse projetait sa clarté diffuse sur les K.G.F. somnolents.

Oscillant et vacillant, au travers des villes et villages plongés dans le sommeil, le train aveugle, les rideaux sombres de la défense passive tirés sur ses portières, courait et grondait dans la nuit noire, éveillant les échos au passage des ponts métalliques, la cheminée de sa locomotive crachant ses étincelles sur la blancheur ouatée des ballasts.

Depuis midi, heure à laquelle nous avions quitté Constance, nous roulions à travers la Suisse neigeuse.

J'occupais un compartiment de wagon de première classe avec cinq autres libérés. Quatre dormaient plus ou moins, la tête ballottante sur la poitrine. Le cinquième, mon vis-à-vis, un rouquin du nom d'Edouard, fumait silencieusement.

Sur la tablette latérale que nous avions dressée, parmi des croûtons de pain, reliefs des nombreux casse-croûte dont nous avions ponctué le voyage, deux paquets de tabac étaient disposés, dans lesquels je puisais indifféremment.

Nous filions à bonne allure vers Neuchâtel, dernier arrêt avant la frontière.

⁎⁎

Une musique militaire, qui me parut éclater dans
notre compartiment, me tira de ma torpeur. Quatre de
mes compagnons s'agitaient aux portières du couloir.
Edouard bâillait. Le train roulait toujours, mais lentement. Il y eut de la fumée, de la vapeur, des chuinte-
ments et des cris. Un cahot me réveilla à moitié.
J'essayai de quitter la banquette : un second cahot me
précipita sur le rouquin, à qui j'administrai un joli coup
de tête, et me rendit la plénitude de mes esprits. Le
wagon ne bougeait plus.

L'immense gare sentait bon le charbon. Sur le quai,
dans l'assistance assez nombreuse, des jeunes femmes
de la Croix-Rouge allaient et venaient vivement. Sous
un éclairage chiche, je vis miroiter les baïonnettes d'un
piquet de soldats nous présentant les armes. Un peu
plus loin, la fanfare jouait *la Marseillaise*.

Nous étions à Lyon, ma montre disait deux heures et
j'avais la bouche pâteuse. Le tabac de Zurich, le
chocolat, les saucisses et le café au lait de Neuchâtel, le
mousseux de Bellegarde et les fruits d'un peu partout
constituaient un puzzle alimentaire qui ne pourrait
trouver sa solution que hors de mon estomac.

— Bébé, l'arrêt est de combien, ici ?

Une aimable demoiselle, au nez un peu trop pointu
pour mon goût, inscrivait sur un bloc les adresses que
les libérés, pressés de donner de bonnes nouvelles aux
leurs, lui communiquaient.

— Une heure, répondit-elle.

Edouard alluma une nouvelle cigarette.

— Je connais Perrache comme ma poche, fit-il avec
un clin d'œil.

Je le vis descendre sur le quai et se perdre vers la
consigne.

Ce rouquin était un fameux débrouillard. Il revint
une demi-heure plus tard avec deux litres de vin dans
les poches de sa capote. Ce n'étaient pas les poteaux
qui lui manquaient dans le coin, m'assura-t-il.

Le vin n'était pas mauvais. Je lui trouvais bien un

arrière-goût, sensiblement égal à celui du fameux tabac polonais, mais cela tenait peut-être à ce que j'avais perdu l'habitude de boire autre chose que de la tisane. Seulement, avec le mousseux de Bellegarde, cela commençait à bien faire et nous nous sentîmes une tendresse exagérée pour l'élément féminin qui peuplait le quai.

Grande et élancée, nu-tête, enveloppée dans un trench-coat écru, dans les poches duquel elle enfonçait ses mains, elle paraissait étrangement seule au milieu de cette foule, sans doute perdue dans un songe intérieur. Elle se tenait debout, dans l'encoignure du kiosque à journaux, sous le bec de gaz clignotant. Son visage pâle et rêveur, d'un ovale régulier, était troublant. Ses yeux clairs, comme lavés par les larmes, reflétaient une indicible nostalgie. Le vent aigre de décembre se jouait dans sa chevelure.

Elle pouvait avoir vingt ans et représentait admirablement le type même de ces femmes mystérieuses que l'on ne rencontre que dans les gares, fantasmes nocturnes visibles seulement pour l'esprit fatigué du voyageur et qui disparaissent avec la nuit qui les enfanta.

Le rouquin et moi la remarquâmes en même temps.

— Bon sang, la belle fille! siffla admirativement mon compagnon.

Il ricana :

— C'est idiot, hein? Il me semble l'avoir déjà vue quelque part...

Ce n'était pas tellement idiot. Je ressentais la même impression bizarre. Cette fille ne m'était pas totalement inconnue.

Les sourcils froncés, le front ridé sous des cheveux qui n'avaient pas été visités par un peigne depuis quatre jours, Edouard réfléchissait intensément. Soudain, il m'enfonça son coude dans le thorax. Ses yeux pétillaient de joie.

— J'ai trouvé, s'exclama-t-il. Je savais bien que j'avais vu cette femme quelque part. Au ciné, parbleu.

Tu ne la reconnais pas? C'est une star, Michèle Hogan...

Evidemment, la solitaire fille au trench-coat offrait certaine ressemblance avec l'interprète de *Tempête*. Ce n'était sûrement pas elle; cela expliquait toutefois qu'un instant j'eusse cru l'avoir déjà rencontrée.

— Je vais lui demander un autographe, fit Edouard, qui ne doutait de rien. Elle ne peut pas refuser cela à un prisonnier...

Il enfila le couloir et s'apprêtait à descendre. Le chef de wagon l'en empêcha. Le train repartait.

Alors, je vis déboucher sur le quai un personnage que j'aurais reconnu entre mille. Il avait une casquette claire de sportif, un pardessus en poils de chameau et il marchait vite, comme s'il eût foncé sur un obstacle, une épaule en avant. Indéniablement, c'était là Robert Colomer, mon Bob de l'Agence Fiat Lux, selon le diminutif qu'il avait récolté dans les bars des Champs-Elysées.

J'abaissai vivement la vitre et me mis à hurler, en gesticulant :

— Colo... Hé! Colo...

Il tourna vers moi son visage légèrement patibulaire.

Il ne parut pas me voir ou me reconnaître. Avais-je donc tant changé ?

— Bob, repris-je. Colomer... Tu ne remets plus les copains ?... Burma... Nestor Burma... qui revient de villégiature...

Il était auprès d'une dame de la Croix-Rouge. Il lâcha un retentissant juron et la bouscula.

— Burma... Burma, haleta-t-il. C'est inespéré... Descendez, bon sang, descendez... j'ai trouvé quelque chose de formidable...

Le train s'était ébranlé. Aux portières, les libérés agitaient leurs coiffures. La gare retentissait de mille bruits qui furent tous couverts par une tonitruante *Marseillaise*. Colomer avait sauté sur le marchepied, cramponné des deux mains à la fenêtre. Soudain, son visage se crispa, comme sous l'effet d'une intolérable douleur.

— Patron, hurla-t-il. Patron... 120, rue de la Gare...

Il lâcha prise et roula sur le quai.

Je bondis à l'extrémité du wagon, écartai d'un coup de poing le chef qui me barrait la route, ouvris la portière et sautai. La portière se referma, retenant un pan de ma capote. Je vis le moment que j'allai passer sous les roues. Tout le corps me fit mal. Je fus traîné. J'entendis comme dans un rêve des cris de femmes affolées. Un soldat du piquet d'honneur se précipita et à l'aide de sa baïonnette me libéra en fendant le drap. Je restai immobile, les yeux vers la voûte métallique de la gare noire de suie, incapable de me relever.

— Il est soûl, sapristi, grogna un homme en uniforme.

J'étais au centre d'un cercle bourdonnant. Je le parcourus du regard, dans la mesure où cette inspection m'était possible, non que je fusse à la recherche de quiconque, mais pour m'assurer que mes yeux voyaient encore sainement, qu'ils n'avaient pas, tout à l'heure, été le jouet d'une illusion.

Car, lorsque Colomer s'était écroulé face contre terre, j'avais nettement vu le dos de son pardessus déchiré par la mitraille... et juste en face, dans l'encoignure du kiosque à journaux, une étrange fille en trench-coat, serrant dans sa main dégantée quelque chose d'acier bruni qui scintillait sous la faible lueur du bec de gaz clignotant.

CHAPITRE II

CONVERSATION NOCTURNE

Sans avoir entièrement conscience de ce qui m'arrivait, je compris qu'on me plaçait sur une civière, qu'on m'engouffrait dans une ambulance dont l'odeur d'essence de basse qualité et d'iodoforme me donna la nausée.

A l'hôpital, je fus bientôt allongé dans un lit relativement blanc. Le toubib qui vint m'examiner était rose, gras et jovial. Il me traita d'ivrogne (le fait est que mon haleine empestait le vin), émit quelques plaisanteries saugrenues sur les prisonniers et me rassura quant à la gravité de mes contusions. Quelques massages, il n'y paraîtrait plus et je pourrais, si le cœur m'en disait, recommencer mes acrobaties. Il me dit encore que je devais une fière chandelle au soldat du piquet d'honneur. Je n'en doutais pas.

On me pansa. L'infirmière qui fit le pansement n'était ni jeune ni belle. Je sais que ce sont celles-là les meilleures, mais puisque mon état n'était pas alarmant on aurait pu m'accorder le bénéfice d'un prix de beauté.

Enfin... je laissai tomber. Tout le monde se retira et je me retrouvai dans la pénombre. Quoique passablement endolori, je dédaignai les pilules calmantes qu'on avait laissé à ma disposition sur la table de nuit. Je voulais réfléchir.

Je n'eus pas le loisir de le faire longtemps. J'entendis

dans le lointain une horloge publique sonner quatre heures et peu après l'infirmière revint. Elle était accompagnée d'un homme poussant un chariot... Ils me chargèrent sur ce véhicule.

J'entrepris un désagréable voyage le long de couloirs déserts et lugubrement éclairés. Je battis des paupières comme un hibou lorsque nous débouchâmes dans une pièce fastueusement illuminée.

Mon état ne nécessitait pas une intervention chirurgicale. Pourquoi m'amenait-on dans la salle d'opération ? En soulevant légèrement la tête, je compris.

Le toubib était là, mais pas seul. Deux hommes, uniformément vêtus d'imperméables beiges et de chapeaux mous gris de fer l'accompagnaient. On aurait juré deux frères. C'étaient, en effet, de drôles de frangins.

— Comment allez-vous ? fit le plus couperosé des deux, en s'approchant.

Rasé de près, l'allure dégagée, il ne manquait pas d'une certaine distinction, que ne troublaient ni sa fâcheuse inflammation faciale ni sa gabardine réglementaire, sous laquelle j'entrevis un habit de soirée. Cet homme devait appartenir à la brigade des Jeux ou avait été interrompu au milieu d'obligations mondaines.

— Le docteur m'autorise à vous poser quelques questions. Vous sentez-vous en état de me répondre ?

Quelle amabilité ! Je faillis en perdre connaissance de saisissement. Oui, il pouvait y aller.

— On a descendu un type à Perrache, tout à l'heure, commença-t-il. Celui qui était accroché à votre portière. Inutile de vous demander si vous le connaissiez, n'est-ce pas ? Nous avons trouvé sur lui sa carte de l'Agence Fiat Lux et en venant ici, interroger, à tout hasard, l'ex-prisonnier qui avait malencontreusement sauté du train, j'ai appris que vous étiez Nestor Burma, le directeur de cette agence. C'est bien cela ?

— Exactement. Nous sommes presque collègues.

— Hum... Oui. Mon nom est Bernier. Commissai-ree Armand Bernier.

— Enchanté. Vous savez le mien. Bob est mort ?

— Bob ?... Ah ! oui, Colomer ? Oui. Il était farci de projectiles de .32. Que vous disait-il, à la portière ?

— Rien de particulier. Qu'il était content de me revoir.

— Vous aviez rendez-vous ? Il était informé de votre retour, veux-je dire ? De votre passage à Lyon ?

— Mais bien sûr, voyons, ricanai-je. Les autorités de mon stalag m'avaient permis de lui câbler la bonne nouvelle.

— Ne plaisantons pas, monsieur Burma. J'essaye de venger votre employé, comprenez-vous ?

— Collaborateur.

— Quoi ? Ah ! oui... si vous voulez. Alors, vous vous êtes rencontrés par hasard ?

— Oui. Tout à fait fortuitement. Je l'ai remarqué sur le quai et l'ai appelé. Du diable si je m'attendais à le trouver là, sur le coup de deux heures du matin. Il a mis un sacré moment à me reconnaître. J'ai dû grossir. Enfin, tout joyeux de me revoir, il a sauté sur le marchepied. La gare était plutôt bruyante. Je n'ai pas entendu de détonation. Mais j'ai remarqué sur son visage cette expression de surprise et d'incrédulité qui ne trompe pas. Enfin, tandis qu'il roulait sur le ciment, j'ai observé que son élégant pardessus était tout déchiré, dans le dos...

— Vous avez une idée ?

— Aucune. Je ne comprends rien à cette histoire, commissaire. Je rentre de captivité et...

— Bien sûr, bien sûr. Quand aviez-vous vu votre collaborateur pour la dernière fois ?

— A la déclaration de guerre. J'ai fermé l'agence et « ai rejoint ». Colomer a dû continuer à s'occuper de quelques petites affaires, à titre personnel.

— Il n'a pas été mobilisé ?

— Non. Réformé. Pas très costaud. Quelque chose qui clochait du côté des poumons...

— Vous êtes resté en rapport avec lui ?

— Une carte de temps à autre. Puis, j'ai été fait prisonnier.

— S'intéressait-il à la politique ?

— C'est-à-dire qu'il ne s'occupait pas de politique jusqu'à septembre 39.

— Mais depuis ?

— Depuis, je ne sais pas. Mais ça m'étonnerait.

— Etait-il riche ?

— Ne me faites pas rigoler, voulez-vous ?

— Fauché ?

— Oui. Il y a quelques années, il avait réussi à mettre quelques billets de côté. Il les a placés... et son banquier a levé le pied. Depuis, il dépensait tout son gain au fur et à mesure, vivant au jour le jour.

— Nous avons trouvé sur lui plusieurs milliers de francs. Billets neufs pour la plupart...

— Cela ne m'en dit pas plus qu'à vous, observai-je.

Le commissaire Bernier eut un compréhensif hochement de tête.

— Pourquoi avez-vous sauté du train ? demanda-t-il, doucement.

Je me mis à rire.

— Voilà la première question idiote que vous posez, dis-je.

— Répondez toujours, fit-il, sans se fâcher.

— Cela m'a porté un coup de voir mon assistant se faire assaisonner sous mes yeux... Comme cadeau de bienvenue, c'était un peu trop gratiné... J'ai voulu savoir de quoi il retournait...

— Et... ?

— ... Et je me suis cassé la margoulette.

— Vous aviez remarqué quelque chose d'insolite ?

— Rien du tout.

— Vous n'avez pas vu la flamme des coups de feu ?

— Je n'ai rien entendu et rien vu. Tout s'est passé si

rapidement. Je ne pourrais même pas vous dire à quel endroit de la gare nous étions lorsque c'est arrivé. Le train était en marche... Une difficulté de plus pour déterminer l'angle de tir, ajoutai-je, sans avoir l'air d'y toucher.

— Oh !... Nous sommes déjà fixés sur ce point, dit-il d'un ton neutre. Le tireur devait se trouver près du kiosque à journaux qui est à côté de la lampisterie. C'est miracle que personne d'autre n'ait été atteint... Un type remarquablement adroit, si vous voulez mon avis.

— Alors, cela exclut l'hypothèse que ce soit en me visant que l'assassin ait tué Colomer.

— En vous visant ? Diantre, je n'avais pas songé à cela...

— Continuez à ne pas y songer, l'encourageai-je. J'essaye seulement de faire travailler mes méninges. Il ne faut rien négliger et pas mal d'individus m'en veulent. Toutefois, ils ne sont pas assez fortiches pour avoir su à l'avance la date de ma libération.

— C'est juste. Néanmoins, votre réflexion m'ouvre de nouveaux horizons. Robert Colomer était moins votre employé que votre collaborateur ?

— Oui. Nous menions toujours nos enquêtes de concert... Les deux faisaient la paire, comme on dit.

— Si un criminel, que vous avez fait coffrer dans le temps, avait décidé de se venger...

Je mentis :

— C'est dans le domaine du possible, dis-je d'un air inspiré.

Le commissaire jeta un regard vers le docteur qui donnait des signes d'impatience.

— Je vous ai tenu suffisamment de temps sur la sellette, monsieur Burma, dit-il. Ce ne sera plus très long désormais. J'aurais besoin des noms des criminels les plus dangereux, ne reculant pas devant un meurtre, de la perte desquels vous vous soyez, ces dernières années, fait l'artisan.

Je répondis à cette phrase ampoulée que ma santé, après les événements de Perrache, ne me permettait pas pour l'instant de soumettre mon cerveau à un pareil travail de prospection. Mais s'il me laissait quelques heures de répit...

— Mais comment donc ! s'écria-t-il, cordial. Tout ce que vous voudrez. Je ne puis pas exiger l'impossible. Je vous remercie de l'effort que vous avez fourni.

— Je crains de n'avoir pas été d'une utilité extraordinaire, dis-je, en souriant. J'ai passé ces sept derniers mois entre Brême et Hambourg. J'ai beau avoir un flair incontestable, il m'était impossible de deviner ce que faisait mon collaborateur à plusieurs centaines de kilomètres.

Il me souhaita un prompt rétablissement, me serra la main, ensuite celle du docteur qui, ayant perdu pas mal de sa jovialité, grogna une salutation indistincte et il disparut, flanqué de son acolyte muet.

Je quittai avec soulagement la lumière crue de la salle d'opérations et réintégrai ma couchette primitive où l'infirmière laide me borda. J'avalai une pilule sédative et m'endormis.

CHAPITRE III

LES CURIEUSES LECTURES
DE COLOMER

Le lendemain, après la visite, et le docteur jugeant mon état satisfaisant, je fus muté et expédié dans un hôpital complémentaire qui se tenait de l'autre côté de la rue. Dans ce lieu, allaient et venaient, au milieu de la plus complète indiscipline, quelques libérés plus ou moins amochés, attendant leur départ pour leurs foyers respectifs. Je fus massé par une espèce de gorille, recoulé dans des draps froids et pourvu d'une infirmière de la même promotion sex-appeal que sa collègue de l'hôpital d'en face.

J'écrivis quatre lettres et une carte interzone que je fis porter immédiatement à la poste par cette brave femme qui, en dépit de son physique ingrat, était l'amabilité même. Le train que j'avais abandonné si dramatiquement devait déposer sa cargaison de libérés à Montpellier, Sète, Béziers et Castelnaudary. Ma correspondance était adressée à Edouard, aux hôpitaux militaires de chacune de ces villes. Je le priais de m'expédier le plus rapidement possible la valise que j'avais laissée dans le filet de notre compartiment. La carte interzone était pour ma concierge.

A midi, lorsque mon voisin de lit s'apprêta à faire un chapeau de gendarme de son journal, je lui demandai — en criant, car il était sourd — de me passer cette feuille.

Les événements sanglants qui avaient salué mon

retour y étaient succinctement relatés, au bas de la dernière page, en « ultime seconde ».

TRAGÉDIE EN GARE DE PERRACHE
lus-je :

Cette nuit, alors qu'un train de rapatriés sanitaires en provenance d'Allemagne quittait notre gare, pour se diriger vers le Midi où nos compatriotes vont se remettre des privations de la captivité, un sieur Robert Colomer, 35 ans, Parisien replié demeurant à Lyon, 40, rue de la Monnaie, a été abattu à coups de revolver, alors qu'il était en conversation avec un ex-prisonnier.

La victime, que l'on devait identifier par la suite comme un agent de la firme de police privée Fiat Lux, du célèbre Dynamite Burma, est morte sur le coup.

L'examen du contenu de ses poches n'a fourni aucun indice susceptible d'aiguiller les investigations sur une piste quelconque.

Une rafle, organisée immédiatement par les forces de police présentes sur les lieux, n'a donné qu'un résultat décevant : l'arrestation d'un agitateur politique, bien connu des services spéciaux et qui fera l'objet de poursuites pour infraction à un arrêté de résidence forcée. Cet individu était dépourvu d'arme.

Par ailleurs, aucun revolver n'a été découvert ni sur le théâtre du crime, ni aux alentours de la gare.

Ajoutons que...

Ce dernier paragraphe était consacré à mon accident, que le reporter déplorait d'un style ému. Mon nom n'était pas cité.

Après midi, le commissaire Bernier fit irruption dans la salle au moment précis où je commençais à trouver le temps long. Il était accompagné de son satellite peu loquace qui prit quelques notes sans desserrer les dents.

Bernier m'apportait un jeu de photos de Colomer pour une plus complète identification. Je satisfis à son

désir. Ensuite, je lui communiquai trois noms. Ceux de
Jean Figaret, Joseph Villebrun et Désiré Mailloche, dit
Dédé l'Hyène de Pigalle. C'étaient des apaches
coriaces que Bob et moi avions largement contribué à
envoyer en cabane. Sauf erreur ou complication, Villebrun, le pilleur de banques, devait être sorti de la
centrale de Nîmes en octobre dernier.

Le commissaire me remercia. Je lui dis encore que
j'avais lu un journal, que j'avais constaté avec plaisir
que je n'avais pas la vedette et que, encore que cette
discrétion soit imputable à l'extrême rapidité avec
laquelle avait dû être composé l'article avant le « bou-
clage » du journal, j'espérais qu'elle continuerait ; je
voulais du repos. Il m'assura que s'il ne dépendait que
de lui, je serais absolument ignoré.

Là-dessus, les deux policiers me quittèrent. Mon
voisin de lit, s'il était sourd, n'était pas aveugle. Il me
demanda avec sollicitude ce que me voulaient les
poulets. Je répondis que j'avais coupé un huissier en
morceaux, que cela m'avait donné mal au crâne, qu'un
tas d'autres ennuis s'ensuivirent, mais Greta Garbo me
tirerait de là.

Fournies à tue-tête, ces explications s'entendirent
dans la totalité de la salle. Le sourd ne fut pas le seul à
me contempler avec des yeux ronds, légèrement
inquiets, et l'avis général fut que, sur certains, la
captivité avait un drôle d'effet.

Je gagnai, à être ainsi suspecté d'insanité, une
tranquillité complète. On ne m'adressa plus un mot.
J'en profitai, puisque j'étais au chapitre cinéma, pour
reporter mes pensées vers Michèle Hogan... Pas la
vraie ; l'autre, la fausse... Celle qui serrait un automatique noir dans sa main blanche, lorsque Colomer s'était
écroulé...

Etait-il du calibre .32 ?

Comme un imbécile, je me posai cette question, à
laquelle je ne pouvais pour l'instant apporter la moindre réponse, jusqu'à l'arrivée des journaux du soir.

La gazette que me passa l'infirmière m'apprit qu'on avait perquisitionné sans résultat au domicile de Colomer. Pas plus ses costumes que sa malle, bourrée de romans policiers, n'avaient fourni d'indices.

Je gardai le lit deux jours. Le troisième, j'étais d'aplomb et Mae West, elle-même, ne m'aurait pas intimidé.

Je m'en fus dans un bureau mal chauffé, où deux dactylos blondes, sous la surveillance débonnaire d'un binoclard, se livraient à des essais comparatifs de rouges à lèvres nouvelle fabrication, demander la permission de sortir en ville.

Ma nourrice était native de Lyon... je voulais visiter le berceau de cette brave femme, surtout aujourd'hui qu'il faisait beau, enfin, qu'il y avait un peu moins de brouillard, voulais-je dire, etc.

Ils n'étaient pas contrariants, dans ce bureau. J'obtins sans difficulté le droit d'aller traîner mes godillots dans la capitale rhodanienne.

Mon uniforme, qui avait déjà beaucoup souffert de la guerre et de la captivité, avait reçu le coup de grâce lors de mon accident. Il avait été remplacé par le complet de démobilisé qui, à quelques dix centimètres près, semblait avoir été fait sur mesure.

Ainsi fagoté, je m'en fus vers la place Bellecour.

Ma nourrice n'était pas lyonnaise, pour l'excellente raison que je n'avais pas de nourrice, et je n'avais nul besoin de me familiariser avec la ville, la connaissant amplement pour y avoir, à vingt, vingt-deux ans, traîné la savate et la dèche.

Je revis avec attendrissement l'avenue de la République, puis les petits passages, à la hauteur de la statue de Carnot, dont l'un avec son célèbre Guignol. C'était dans un coin quelconque de ce lacis de rues couvertes que se tenait jadis un petit cabaret d'où j'avais été ignominieusement chassé, parce qu'il me manquait les quelques francs du porto-flip que j'avais avalé.

En tirant sur ma pipe, je cherchai ce bistrot... s'il existait encore.

J'eus une veine inquiétante. D'abord je vis, à l'étalage d'un kiosque à journaux, que *le Crépuscule* était replié à Lyon. J'en achetai un exemplaire pour voir si Marc Covet avait suivi son canard. Oui. La signature de mon ami s'étalait au bas d'un article vaseux, bien dans sa manière, en deuxième page. Ensuite, je trouvai le café. Il n'avait pas changé de nom, il n'avait pas changé de décor, il n'avait pas changé de patron. Avait-il seulement changé de poussière ? Elle paraissait d'époque. Enfin, j'aperçus au bar, juché sur un haut tabouret, disputant avec un autre journaliste un tournoi de poker dice, Marc Covet lui-même, avec son nez rouge et ses yeux aqueux.

Je lui posai la main sur l'épaule. Il se retourna, laissant échapper une exclamation. Avant qu'il fût revenu de sa surprise, je lui dis, d'un air entendu :

— Et alors, on ne reconnaît plus ce vieux Pierre ?

— Pie... Pierre ! dit-il. Ah ! oui... Pierre Kiroul ?

Il s'esclaffa.

— Pierre Kiroul, c'est ça, approuvai-je.

Il jeta les dés dans le cornet et posa le tout sur le comptoir.

— J'abandonne, dit-il à son partenaire. J'ai à parler du pays avec ce vieux copain. Considérez-vous comme gagnant.

Il me prit le bras et m'entraîna vers le fond de la salle. Nous prîmes place à une table écartée.

— Qu'est-ce qu'on boit ? fit-il.

— Un jus de fruits, dis-je.

— Et moi un demi.

Lorsqu'un garçon nonchalant (non, ce n'était pas celui qui, plusieurs années auparavant, m'avait expulsé) nous eut apporté les consommations, le reporter désigna mon ananas de son index tendu.

— Il semble que la mort de Colo vous ait porté un sacré coup...

— C'est parce qu'il n'y a plus d'oxy, répondis-je. Mais, vous avez raison, cela m'a fichu un coup. Vous savez que c'était à moi qu'il parlait quand on l'a descendu.

Il frappa sur la table et jura.

— Et c'est vous qui...

— Oui, c'est encore moi. Je répétais un numéro de cirque. Seulement, je vous demanderai de garder ces renseignements pour vous.

— Evidemment. Vous ne pensez peut-être pas que je vais les communiquer à un concurrent.

— Ne jouez pas au ballot, Marc. Je veux dire que personne, pas plus les types de *Paris-Soir* que ceux du *Crépu,* ne doivent avoir connaissance de cela, qui est strictement entre nous. Vous comprenez ?... Plus tard, on verra...

Son stylo lui démangeait visiblement. Toutefois, il me promit, d'assez bonne grâce, de n'y point toucher. Ce point réglé, j'enchaînai :

— Vous avez vu Colomer, ces derniers temps ?

— De temps à autre.

— De quoi s'occupait-il ?

— Je n'en sais rien. Il n'avait pas l'air riche.

— Il vous a tapé ?

— Non. Mais il demeurait...

— ... Rue de la Monnaie, je sais. Ce n'est pas situé dans un quartier reluisant, mais cela ne veut rien dire. Continuait-il son métier de détective ?

— Je vous dis que je n'en sais rien. Nous nous connaissions peu et, en six mois, nous nous sommes peut-être vus quatre fois en tout.

— Vous ne pouvez me fournir aucun renseignement sur ses fréquentations ?

— Aucun. Je l'ai toujours vu seul.

— Pas de femme ?

— De... Tiens, c'est marrant. Non, pas de femme.
Mais, à propos de femme...

— Quoi donc ?

— Vous connaissiez votre assistant mieux que moi.
Il n'était pas un peu timbré ?

— Qu'est-ce qui vous fait supposer cela ?

— Il est venu me trouver au journal, il y a peu. Il
voulait que je lui fournisse la liste plus ou moins
complète des écrivains qui se sont intéressés au marquis
de Sade, le catalogue des œuvres de ce libertin et
encore un tas d'autres trucs, comme une biographie.
J'ignorais que Sade eût écrit quoi que ce fût. Ne me
regardez donc pas comme cela, Burma. Je ne suis pas le
seul dans ce cas. La culture...

— Ça va, ça va. Vous me parlerez de culture un
autre jour. Vous lui avez fourni ce qu'il désirait ?

— Oui. Après lui avoir demandé en rigolant ce qu'il
comptait faire de tout ça, il me répondit qu'il en avait
besoin pour effectuer des recherches à la bibliothèque.
Cela m'a fait rigoler de plus belle...

— Je n'en doute pas. Et alors ?

— J'ai demandé le tuyau au critique littéraire. Il m'a
dit que mon copain... Il appuyait drôlement en disant :
« Votre copain », le critique, il se figurait que c'était
moi qui avais besoin de tout ce bazar... Enfin qu'il ne
trouverait pas les œuvres de Sade à la bibliothèque, qui
est dépourvue d'enfer, mais qu'il consulterait avec
profit trois ou quatre bouquins qu'il me désigna.
Depuis, je passe pour un drôle de pistolet aux yeux des
dactylos ; car, vous pensez bien, le critique n'a rien eu
de plus pressé que...

— Epargnez-moi un discours sur votre réputation,
coupai-je. Elle a toujours été douteuse et ce n'est pas
cet incident qui la ternira davantage. Vous souvenez-
vous des titres de ces bouquins ?

— Comment, Nestor, vous aussi ?

— Vous souvenez-vous des titres de ces bouquins ?
répétai-je.

— Non. Je...

— Ecoutez, Marc. A la fin de tout cela, il y aura un mirobolant article pour vous. Mais il faut m'aider. Et les titres et noms d'auteurs de ces bouquins peuvent m'être utiles. Alors...

— Ma réputation est foutue, grimaça-t-il, en faisant le simulacre de se trouver mal. Vous voulez que je retourne voir le critique ?

— Oui. Je vous reverrai ce soir. Tâchez de m'avoir cela.

— Comme vous voudrez... Du moment que vous m'accorderez la primeur de la révélation finale... Mais vous êtes sûr que la captivité ne vous a pas dérangé le cerveau ? ricana-t-il.

— Entièrement sûr. Encore que ce ne soit pas l'avis de tout le monde.

Je frappai dans mes mains pour attirer le garçon.

— La même chose, dis-je.

Quand ce fut fait, je plongeai mon regard dans les yeux de Marc Covet.

— Vous vous souvenez d'Hélène Chatelain ? demandai-je.

— Votre dactylo-secrétaire-collaboratrice-agente, etc. ?

— Oui. Qu'est-elle devenue ?

— Eh bien ! après votre départ aux armées, je lui avait procuré une place à Lectout, les concurrents de l'Argus. Je croyais que vous le saviez ?

— Je le savais, mais depuis ?

— Elle y est toujours. L'exode les a menés jusqu'à Marseille, mais ils sont retournés à Paris.

— Vous n'avez jamais vu Hélène par ici ?

— Jamais. Pourquoi ?

— Pour rien. Maintenant, allons chez vous. Nous sommes à peu près de la même taille. Je voudrais vous emprunter un costume. J'en ai plein le dos, du kaki.

Je réglai l'addition et nous sortîmes. Il faisait froid, le brouillard était pénétrant et nous marchions d'un bon pas. Aussi Covet grogna-t-il lorsque je m'arrêtai pile devant une papeterie pour contempler un tourniquet de cartes postales.

Sans tenir compte de ses protestations, j'entrai. J'en ressortis avec la meilleure photo de Michèle Hogan.

— Belle fille, hein ! dis-je, en découpant avec la paire de petits ciseaux qui ne me quitte jamais la partie de la carte mentionnant le nom de l'artiste. Qu'est-elle devenue, dans cette tourmente ?

— Hollywood, grommela-t-il. Vous vous intéressez à elle ? C'est sans doute votre maîtresse ?

— Non. Ma fille.

Dans la chambre du reporter, régnait un désordre savamment organisé, si j'ose dire. Marc y plongea et me tendit un complet à carreaux qui me plut mais que je refusai. Je jetai finalement mon dévolu sur un costume gris, terne à souhait, qui, lorsque je l'eus endossé, me prêta des allures de ponctuel employé de bureau.

— Donnez-moi un manteau ou une gabardine, dis-je en me dandinant devant la glace. Je n'ai pas besoin de chapeau. Mon béret suffit.

— Vraiment ? Alors ce sera tout ? s'enquit-il. Je puis encore vous prêter mon rasoir, vous cirer les souliers, vous passer mes cartes d'alimentation et l'adresse de ma petite amie.

— Ce sera pour une autre fois, dis-je. A ce soir. Ayez-moi le tuyau sur les bouquins sadistes.

CHAPITRE IV

LE FANTÔME DE JO TOUR EIFFEL

Le 40, rue de la Monnaie était occupé par un hôtel de troisième ordre (chambres au mois et à la journée), mais propre, tenu par une espèce d'ancien boxeur qui fumait sa pipe auprès d'un maigre feu en écoutant d'un air sceptique les doléances d'un Arabe qui sollicitait vraisemblablement un délai de paiement.

Le Nord-Africain éclipsé, je me présentai comme un parent de Colomer qui avait éprouvé beaucoup de chagrin de sa mort brusque et inexplicable. La guerre nous avait séparés, j'arrivais juste à Lyon quand... Et ainsi de suite, un boniment cousu main, ponctué de reniflements aux bons endroits.

L'hôtelier en crut ce qu'il voulut. Il se lança dans un panégyrique du défunt. Un jeune homme aimable, propre et correct, qui payait régulièrement. Pas comme ces sacrés sidis, nom d'un chien.

— Un détective ? Peut-être, puisque les journaux l'ont écrit. En tout cas, il n'en avait pas l'air. Il cachait bien son jeu. Après tout, cela fait partie du métier. Ha, ha, ha !

Il se mit à rire et se tut soudain, ayant conscience de l'indécence de son hilarité devant un parent éploré.

— Et sa fiancée ? L'avez-vous vue récemment ?

— Sa fiancée ? Il était fiancé ?

— A une bien brave fille qui va devenir folle en apprenant cela... si elle ne le sait déjà. Elle habitait

Marseille, mais elle a quitté cette ville depuis quelque temps. Je croyais qu'elle avait rejoint Robert. Tenez, voici sa photo. Vous ne l'avez jamais vue ?

— Jamais... Bigre, c'est une belle fille !

— Je vous crois. Pauvre Robert.

Je parlai de sa sœur. Elle était venue le voir dernièrement, hein ? Non ? Alors, je devais confondre. C'est son autre frère qu'elle avait visité. Oh, oui, c'était une nombreuse famille. Je posai encore quelques questions dénuées d'intérêt. Les réponses furent d'un calibre identique et je n'appris rien. Depuis le... la... l'événement (*sanglot*), aucun courrier n'était arrivé ? Non, monsieur. M. Colomer recevait peu de correspondance. Une carte interzone, par-ci, par-là, de ses parents.

Je quittai l'hôtelier et traversai la Saône. Au palais de justice, je demandai le commissaire Bernier. Il était justement là. Il me reçut dans un bureau sombre.

— Bonjour, dit-il gaiement. Eh bien ! vous voilà sur pied ? Comment va ? Fichtre, vous êtes rupin. Je vous serre la main mollement, parce que je ne voudrais pas vous disloquer.

— Vous pouvez y aller, rétorquai-je. Je suis complètement remis. Le bonhomme est solide. Où en êtes-vous de l'affaire ?

Il m'avança une chaise boiteuse (celle qui devait servir pour les interrogatoires difficiles), m'offrit une gauloise que je refusai (je préfère ma pipe) et alluma sa cigarette et ma bouffarde à l'aide d'un briquet miteux.

— Je puis être franc avec vous, hein ? déclara-t-il ensuite, comme s'il me supposait assez naïf pour le croire. Eh bien, on nage. Je m'excuse de ne pas vous avoir tenu au courant, mais le boulot ne manque pas. Votre collaborateur était diablement secret. Nous n'avons pas découvert grand-chose sur son compte. Quant au pilleur de banques, Villebrun, il est bien sorti de Nîmes à peu près à la date que vous avez indiquée, mais on a perdu sa trace. Toutefois, nous avons repéré

ici même la présence d'un de ses anciens complices.
Mais ce n'est pas lui qui a descendu Colomer. Il a un
alibi.

— Oh ! les alibis...

— Celui-là tient. Quelque dix heures avant le crime,
il a été arrêté en flagrant délit de vol à la tire.

— Vous m'en direz tant.

— Bien entendu, nous l'avons interrogé. Il prétend
n'avoir plus entendu parler de son chef depuis sa
condamnation. On vérifie.

Il jeta son mégot vers le poêle.

— A propos, fit-il, après une pause, nous savons ce
que votre Colomer allait faire à la gare, lorsqu'il lui est
arrivé malheur.

— Ah !...

— Il s'apprêtait à filer en zone occupée.

— A filer ? Quel curieux vocabulaire ?... Pour filer,
comme vous dites, il n'y a que...

— Je maintiens le mot, m'interrompit-il. C'est le
seul qui convienne. Tout nous prouve que son voyage
était précipité. La peur, peut-être ? Il n'a pas informé
son logeur de son départ, il n'avait pas de bagages...
Vous ne lui avez pas vu de valise ?

— Non, en effet.

— Donc, pas de bagages ; il était dépourvu de
laissez-passer et son portefeuille était bien garni. Lors
de notre première entrevue, je vous ai dit qu'il contenait plusieurs milliers de francs... Exactement neuf
mille... La crise des logements, qui sévit avec une
particulière acuité dans cette ville depuis l'afflux des
« repliés », avait contraint Colomer à élire domicile
dans un hôtel de troisième ordre, situé dans une rue un
peu spéciale où il n'était peut-être pas très indiqué de se
promener avec de grosses sommes. Aussi avait-il
déposé cet argent dans le coffre d'une personnalité qui,
dès qu'elle a eu connaissance du drame, s'est fait
connaître. Il s'agit de maître Montbrison...

— Vous voulez parler de l'avocat? Maître Julien Montbrison?

— Lui-même. Vous le connaissez?

— Un peu. Mais j'ignorais qu'il fût à Lyon.

— Vous faites un fichu détective, rigola-t-il. Il est à Lyon depuis plusieurs années.

— Mon métier ne consiste pas à suivre les avocats dans leurs déplacements, ripostai-je. Pourriez-vous me communiquer son adresse?

— Volontiers.

Il feuilleta des dépositions.

— 26, rue Alfred-Jarry, annonça-t-il.

— Merci. Je me sens un peu seul, dans cette ville. Je ferai un saut chez lui. J'espère qu'il a toujours une bonne cave?

— Vous m'en demandez trop, monsieur Burma, lança-t-il, d'un ton genre « incorruptible offensé ».

— Excusez-moi, ricanai-je. Vous disiez donc?

— Quoi donc?

— La déposition de maître Montbrison...

— Ah! oui... Eh bien, elle est assez instructive... Cet avocat nous a appris que votre Bob était venu le voir la nuit où il devait se faire assassiner et qu'il avait retiré son argent. A onze heures.

— Drôle d'heure pour retirer des fonds.

— Justement. Cela prouve la hâte de Colomer et son besoin d'argent immédiat. Pour franchir rapidement la ligne, je vous le démontrerai tout à l'heure. Maître Montbrison était à une soirée. Lorsqu'il est rentré, Colomer l'attendait. Auparavant, la victime avait fait — nous nous en sommes assurés — la tournée de tous les endroits où il était susceptible de trouver l'avocat. Tous les endroits, sauf le bon, bien entendu, comme toujours. De guerre lasse, il l'attendait chez lui. D'après maître Montbrison, il avait l'air très agité. Aux quelques questions posées par l'avocat, qui s'inquiétait de sa nervosité, il n'a pas répondu. Il s'est borné à réclamer son dépôt, jusqu'au dernier centime, sans

aucune explication. Pas parlé de voyage, rien. N'empêche qu'il avait bien l'intention de quitter Lyon. Je
dirai même, eu égard à son comportement, de fuir cette
ville. Un danger, dont il n'avait eu connaissance que
tard dans l'après-midi (sa première visite au domicile de
maître Montbrison se situe vers sept heures), le menaçait. Et non seulement fuir cette ville, mais cette zone.
Voici pourquoi il a récupéré son dépôt : il était destiné
à financer le passage en fraude de la ligne. Sortant de
votre stalag, vous ne le savez peut-être pas, mais il faut
pas mal de fric pour cette opération. Suppositions,
direz-vous ? Non. La preuve de cette intention, nous
l'avons découverte dans la doublure de son pardessus
où elle avait glissé par une poche percée. Elle est
constituée par deux billets « aller » pour le hameau
Saint-Deniaud, un petit bled pas loin de Paray-le-
Monial. On l'appelle aussi La Passoire. Inutile de vous
expliquer pourquoi.

— Compris. Vous dites : deux billets ?
— Oui. Cela vous suggère quelque chose ?
— Non, mais c'est bizarre.
— Détrompez-vous. Les deux billets, dont l'un seulement est poinçonné, ont été achetés à quelques
minutes d'intervalle. Il est probable que Colomer a
glissé le premier billet dans la poche dont il ignorait la
défectuosité — le trou est très petit et mal placé —
avant de se diriger vers l'accès aux quais. Une fois là, il
l'a cherché vainement. Concluant qu'il l'avait perdu —
et cette éventualité ne lui parut pas extraordinaire, vu
son état de nervosité — il est retourné au guichet s'en
procurer un second qu'il n'a lâché des doigts qu'après
poinçonnage, pour le mettre dans cette même poche où
il est allé rejoindre son frère. C'est la seule explication... à moins que vous ne soyez tenté de croire qu'il
avait un compagnon de voyage et que c'est ce dernier
qui a fait le coup ?

— Bien improbable. Si Bob avait aussi peur que
vous le dites, il n'aurait pas projeté de s'enfuir avec la

cause de sa terreur. En tout cas, il n'eût pas poussé l'obligeance et la jobardise jusqu'à payer la place de son assassin. Bien entendu, vous avez relevé les empreintes ?

— Oui. Ce sont celles de Colomer.

— En résumé, ces diverses constatations vous avancent-elles ?

— Il ne faut rien négliger, dit-il sentencieusement, en guise de réponse.

— Très juste. En vertu de cet excellent principe, me permettez-vous de jeter un coup d'œil sur les divers papiers dont Colomer était porteur ? Plus que vous, j'étais familiarisé avec lui et...

— ... Et il est possible qu'un objet, fort peu instructif pour moi, vous fournisse un indice ?

— Exactement.

Le commissaire se leva, décrocha le téléphone intérieur et lança un ordre bref. Après avoir raccroché :

— Quelle impression vous a faite votre collaborateur au cours de votre rapide entrevue ? demanda-t-il, *ex abrupto*.

— Il n'était pas précisément affolé, mais, maintenant que j'y réfléchis, il avait l'air bizarre. Comme s'il avait peur, en effet. Et que ma présence lui eût apporté un certain soulagement.

— Que vous a-t-il dit ?

— Qu'il était content de me revoir. C'est tout. Vous avez raison, commissaire. Peut-être n'était-ce pas la simple satisfaction de me voir libéré qui le faisait parler ainsi.

On frappa à la porte. C'était un policier en uniforme qui apportait le contenu des poches de mon ex-agent.

Je passai rapidement sur ses pièces d'identité, sa carte de l'agence, ses titres de rationnement et un tas de paperasses sans intérêt. Nulle part, je ne vis la moindre allusion au 120, rue de la Gare. J'examinai les deux billets de chemin de fer. Un seul était perforé. Il y avait quelques cartes interzones, provenant toutes des parents de Bob. Ils n'avaient pas abandonné la banlieue parisienne et ils se plaignaient de la dureté des temps, en une orthographe incertaine :

« Eureusement, disait la dernière en date, que ton père a trouvez du travail come garedien de nuit à la société anonime (*sic*) de distribution deaux. Nous alon tout bien... » Etc.

Ces épîtres me firent penser qu'il me faudrait faire à ces vieux une visite de condoléances, lors de mon retour à Paris. Fichue opération.

Je notai l'adresse : Villa Les Iris, rue Raoul-Ubac, Châtillon.

— Vous avez trouvé quelque chose ? interrogea Bernier, les yeux luisants.

Je lui dis pourquoi j'inscrivais ce renseignement. Sa lueur oculaire s'éteignit.

— C'est comme cela, gronda-t-il, en posant le doigt sur une dizaine de feuillets jaunis. Cela nous servirait peut-être si le type n'était pas mort.

— Colomer ?

— Non. Le type dont il est question là-dedans. Ce sont des coupures de journaux. Elles ont trait à Georges Parry, l'international, le célèbre voleur de perles. Vous savez bien... Jo Tour Eiffel.

Si je savais. J'avais eu l'honneur de tendre à Parry (qui, tout féru de rébus, devinettes, mots croisés, calembours, jeux de mots et autres amusettes enfantines, apposait en guise de signature une tour Eiffel au bas de ses lettres) un traquenard dans lequel il m'avait fait le vif plaisir de choir, tout adroit qu'il fût. Mais cet élégant et cultivé gangster, spécialisé dans le vol des perles et le cambriolage des bijouteries, n'avait pas moisi en prison. A un système de vol remarquable, il joignait la faculté particulière de passer au travers des murs. L'Administration pénitentiaire de France ne pouvait être taxée de négligence. Partout ailleurs, que ce fût à Londres, Berlin, Vienne ou New York, Jo Tour Eiffel s'était semblablement évadé. C'était un as, dans

sa partie. Il était mort en Angleterre, au début de 1938.
Son corps, à demi mangé par les crabes, avait été
découvert sur une plage de Cornouailles où, sous un
faux nom et entre deux pirateries, il s'octroyait des
vacances. Il s'était noyé en se baignant. Les bijoutiers
respirèrent et les polices du monde entier également.

Quel besoin avait eu Colomer de se documenter sur
ces vieilles affaires ? Je lus minutieusement ces articles,
parus à l'époque dans la presse locale.

— Cela vous ouvre des horizons ? demanda le
commissaire, tandis que je repliais les feuillets.

— Aucun. En tout cas, ce n'est pas Jo Tour Eiffel le
coupable, répondis-je, en tapotant la photographie du
gangster dont s'ornait une des coupures.

— Hé ! hé ! hé ! sait-on jamais ? sourit-il. Dans une
ville à spirites, théosophes et autres marchands de
calembredaines comme Lyon, l'intervention d'un fantôme serait-elle si extraordinaire ?

Il commençait à se faire tard. J'abandonnai la chaise
grinçante.

— Avant de venir vous voir, je suis passé rue de la
Monnaie, dis-je. Histoire de renifler l'atmosphère. Je
n'ai rien découvert de spécial et j'aurais pu vous cacher
cette démarche sans importance, si je n'étais à peu près
sûr que l'hôtelier vous en informera. Ne vous emballez
donc pas sur une fausse piste. Je me suis donné comme
un parent de Bob et j'ai parlé à tort et à travers de sa
fiancée, de sa sœur, de sa tante, de la rougeole qu'il
avait eue tout petit, etc. Sans résultat appréciable,
comme je vous le disais. Le patron parle beaucoup pour
ne rien dire et, au demeurant, il m'a donné l'impression
de ne pas savoir grand-chose..

— Je vous remercie, articula le commissaire, en me
reconduisant. Mieux vaut ne pas se faire de cachotteries
entre nous.

J'opinai gravement. N'empêche qu'en descendant
l'escalier humide je fus pris d'une douce envie de
rigoler.

CHAPITRE V

DES RENSEIGNEMENTS
SUR COLOMER

Après avoir demandé à trois autochtones, heurtés dans le brouillard, la situation de la rue Alfred-Jarry par rapport à la place Bellecour, je m'en fus vers le domicile de l'avocat en réfléchissant.

Colomer avait éprouvé le besoin précipité de gagner la capitale. Pour ce faire, il n'avait pas hésité à tenter de franchir frauduleusement la ligne de démarcation. Il avait acheté deux billets pour Saint-Machinchouette. Pourquoi ? Vraisemblablement parce que la personne qui devait l'accompagner se trouvait déjà dans la gare, venant d'ailleurs, par exemple. Quelle était cette personne ? La fille au trench-coat ? L'assassin ? Si j'en croyais le témoignage de mes yeux, l'assassin et la jeune fille ne faisaient qu'une seule et même personne. Evidemment, j'avais bien dit à Bernier qu'il me paraissait improbable que Colomer eût payé la place de son meurtrier, mais cela faisait partie de notre fameuse politique de « franchise » mutuelle. Autrement dit, balivernes et compagnie.

Mon objection à l'achat d'un billet pour le compagnon assassin aurait tenu si Colomer avait été conforme au portrait que m'en traçait le commissaire. Mais Colomer était-il affolé ? Je ne l'avais vu que quelques secondes, évidemment, mais je pouvais répondre avec certitude : non. Il était surexcité, certes, mais sans la moindre trace de peur. Et lorsqu'il s'était senti frappé, sa physionomie n'avait exprimé que le plus douloureux étonnement. Il ne s'attendait pas à ce coup-là.

Quoi qu'il en fût, le but du voyage était le 120, rue de la Gare ; une adresse paraissant constituer le mot d'une énigme et que déjà, dans des circonstances également dramatiques, un homme m'avait murmuré : l'amnésique du stalag. Quel rapport existait-il entre ces deux hommes ? Et quel rapport entre la rue de la Gare (Paris, 19e) et la rue de la Monnaie, de Lyon, toutes deux fréquentées par des Arabes ?

A ce point de mes cogitations, j'écrasai les pieds d'un promeneur. Ne voulant pas lui avoir infligé inutilement cette douleur, je lui demandai la rue Alfred-Jarry. Il me répondit que j'étais dedans.

Le numéro 26 avait bonne mine. Son locataire du rez-de-chaussée ne le cédait en rien à la façade de l'immeuble, je pus m'en convaincre aisément lorsqu'un larbin taciturne et d'aspect maladif m'eut introduit dans un vaste bureau où un homme m'attendait, la cigarette aux lèvres.

Maître Julien Montbrison ne paraissait pas souffrir outre mesure des restrictions. Il était rond et jovial, tel que je l'avais connu à Paris, plusieurs années auparavant. Une rondeur sympathique, exempte de toute vulgarité. Il était, en dépit de sa corpulence, élégant et possédait une certaine classe. La seule faute de discernement était visible à ses doigts. Il adorait les charger de bagues, comme un rasta, et le choix de ces bijoux dénotait un indiscutable mauvais goût. Aujourd'hui, par exemple, il arborait une chevalière d'or, sertie de trois brillants dont l'un, mal assorti aux deux autres, faisait de cette bague de prix un article de bazar. C'était là péché véniel, qui n'ôtait rien de son talent à cet homme. Il était adroit, rusé, d'une éloquence cynique et (nous avions vidé plusieurs verres ensemble) un agréable compagnon.

A mon entrée, il ferma le livre qu'il lisait — une belle

édition des *Œuvres* d'Edgar Poe — et vint vers moi avec un charmant sourire, sa main grasse tendue.

— Burma ! s'écria-t-il. Que voilà donc une belle surprise ! Que faites-vous dans nos murs ?

Je le lui dis, tandis qu'il débarrassait un fauteuil de quelques monumentaux livres de droit. Je m'assis et, à son invitation, parlai de la captivité. Généralement, vos interlocuteurs s'en foutent, mais ils croient poli de faire semblant de compatir à vos souffrances, comme ils disent. Après avoir sacrifié au goût du jour et émis de désespérants lieux communs, j'en vins à ce qui m'intéressait.

— Sapristi ! s'exclama-t-il. Je connaissais la mort de Colomer, mais j'ignorais que vous ayez été témoin de son assassinat. Comme retour à la vie civile...

Il écrasa sa cigarette dans le cendrier.

— Oui, c'est plutôt moche, concédai-je.

Il me tendit un luxueux étui en or.

— Prenez ça, offrit-il. Vous n'en trouverez nulle part ailleurs. Ce sont des Philip Morris. J'en ai une petite réserve.

— C'est en effet une marque rarissime, mais... Excusez-moi, je ne suis pas amateur... je préfère ma pipe...

— Ah ! cette vieille bouffarde... Comme vous voudrez...

Il alluma ma pipe et sa cigarette.

— Pour en revenir à Colomer, dit-il, en exhalant un odorant nuage de fumée, le brillant détective a-t-il une idée ?

— Aucune. Je reviens de trop loin. Mais la police s'imagine que mon assistant a été victime d'une vengeance... Politique ou autre. Et votre déposition confirmerait ce point de vue.

— Ah ! vous êtes au courant ?

— Plus ou moins. Je sais qu'il est venu ici quelques heures à peine avant de se faire descendre.

— Oui. Pour retirer de l'argent qu'il m'avait confié...

— Un instant... D'où provenait cet argent ? J'ai ouï parler de huit ou neuf mille francs. C'est une grosse somme... Je veux dire une grosse somme pour Colomer qui n'était pas économe.

— Je l'ignore absolument.

— Merci. Continuez.

— Je l'ai trouvé, en rentrant ici, dans ce fauteuil, m'attendant. Mon valet ignorait où je dînais... savait toutefois que je serais de retour vers onze heures et lui avait permis de m'attendre. Son attitude était assez inquiétante... Avez-vous déjà vu des êtres en proie à une peur abjecte, Burma ?

— Oui.

— Moi aussi. Les condamnés, par exemple, le dernier matin... Eh bien, toutes proportions gardées, Colomer donnait de pareils signes de terreur. Au point que je lui ai demandé s'il était souffrant et que...

Il parut hésiter.

— Quelque chose que j'ai caché au commissaire et que je peux confier à vous... J'ai cru qu'il avait besoin de tout son avoir pour acheter de la drogue.

— Neuf mille francs de drogue ! m'exclamai-je. Le prendriez-vous pour Cyrano ? C'est invraisemblable. Et puis, cela ne tient pas debout. Colomer ne s'adonnait à aucun stupéfiant.

Il leva vers moi sa main gauche, comme s'il réglait la circulation.

— Je ne suis pas médecin pour juger sur la mine. Mais ne prenez pas la mouche, Burma. Vous me rappelez par trop Colomer. Car, lui aussi, dès que je fis allusion à cela, s'emporta et nous échangeâmes d'assez vives paroles. Je les regrette maintenant, mais... *mektoub*. Piqué au vif, je lui rendis des comptes, sans plus m'inquiéter de lui. Il m'a laissé une étrange impression de peur et de désarroi. Pauvre bougre... Je ne croyais pas apprendre sa mort — et quelle mort ! —

par les journaux, le surlendemain... Evidemment, mon idée sur la drogue était erronée. Alors, quelle hypothèse nous reste-t-il devant sa conduite étrange de cette nuit-là, son besoin d'argent pour fuir et sa terreur manifeste ? La crainte d'une vengeance ?

— Et quel genre de vengeance ? Professionnelle, politique ou... ou passionnelle ?

Julien Montbrison agrémenta ses lèvres du sourire charmant que lui seul possédait.

— Nous pouvons écarter d'emblée le drame passionnel, dit-il. Je ne lui connaissais aucune liaison... à ce point dangereuse.

— Et... de liaisons moins dangereuses ?

— Pas davantage. Quant à la politique, je suis persuadé qu'il suivait mon exemple : il ne s'en occupait pas.

— Je vous crois sans peine. Ce n'étaient pas des préoccupations de cet ordre qui l'empêchaient de dormir... et je ne vois pas pourquoi la guerre — et ce qui s'ensuivit — l'aurait fait changer de conduite.

— Vengeance professionnelle, alors ?

— C'est ce que n'est pas loin de croire le commissaire Bernier. Il a déjà découvert un ex-complice d'un coriace pilleur de banques que Bob et moi avions fait condamner. Je me demande ce que vaut cette piste.

— Ce gangster est-il si dangereux ?

— Ce n'est pas une petite fille. Mais de là à terroriser un gaillard comme Colomer... Franchement, Montbrison, Colomer vous a-t-il donné l'impression d'avoir une frousse bleue ?

Mon expression fit sourire l'avocat.

— Une frousse bleue, peut-être pas. D'ailleurs, je suis amblyope. Mais croyez-moi, quelle qu'en fût la couleur, elle était réelle. Evidemment, il n'en était pas atteint au point de chercher refuge sous les meubles... Mais vous-même, à la gare...

— Je n'ai rien remarqué de particulier.

— Que vous a-t-il dit ?

— Rien. Il n'a pas eu le temps. Le train démarrait. Il a sauté sur le marchepied. Il s'est écroulé aussitôt.

— Rien, chez lui, n'exprimait la crainte ? demanda pensivement l'avocat, en martyrisant sa cigarette.

— Rien.

— Alors, excusez-moi, je reviens à mon idée de toxique. Supposons que Colomer, pour une raison ou pour une autre, ait besoin de quitter rapidement Lyon. Il me rend visite pour récupérer son argent. Son extraordinaire état de nervosité, son trouble, que je prends pour de la frayeur, peuvent n'avoir aucun rapport avec ce voyage, mais être simplement la conséquence d'un manque prolongé de drogue. Le fameux « état de besoin ». Sorti de chez moi, il se procure son poison et l'absorbe. Lorsque, trois heures plus tard, vous le rencontrez à Perrache, il est frais et dispos. Que pensez-vous de ce raisonnement ?

— Il se tient... à une objection près. J'ai quitté Colomer au début de la guerre. Il n'était pas intoxiqué. Il se peut qu'il ait changé depuis... Je n'en sais rien. Mais vous, vous l'avez fréquenté récemment. Avait-il l'aspect d'un toxicomaniaque ?

— Je ne suis pas médecin, répéta-t-il. Voyez-vous, Burma, il n'y aura que le résultat de l'autopsie pour nous éclairer. Le connaissez-vous ?

— Non. Bernier ne m'a pas soufflé mot du rapport du médecin-légiste. Ce silence peut s'interpréter de deux façons : ou il n'y avait rien à m'en dire ou il y en avait trop. Bon sang, ce commissaire et la franchise, cela fait deux...

Montbrison alluma une nouvelle cigarette et se mit à rire.

— Vous a-t-il parlé d'Antoine Chevry et d'Edmond Lolhé ?

— Qu'est-ce que c'est que ces deux-là ?

— Des amis... ou plutôt des connaissances de Colomer. Oh ! rien de très important... Ils sont quand même mentionnés dans ma déposition...

— Il ne m'a rien dit. Mais ne l'imitez pas. Je suppose que vous étiez assez souvent en contact avec Bob pour me donner quelques précisions sur son genre de vie ?

— Certainement. Quoiqu'il y ait peu à en dire. Vous savez mieux que quiconque combien votre collaborateur était réservé. A vrai dire, je crois qu'à part moi, il ne fréquentait personne d'autre. Sauf ces deux jeunes gens que je lui avais présentés comme aides éventuels au moment où il avait l'intention de monter une agence de renseignements. L'argent déposé ici était destiné à financer cette entreprise... qui est restée à l'état de projet.

— Ah ! Rappelez-moi les noms de ces jeunes gens, voulez-vous ?

— Antoine Chevry et Edmond Lolhé.

Je notai sur mon calepin et pointai vers l'avocat un menton interrogateur. Il secoua la tête.

— J'ignore leurs adresses. Lolhé est parti au Maroc et je n'ai reçu de lui qu'une carte expédiée de Marseille ; Chevry, après avoir suffisamment goûté à la vache enragée, est retourné sagement chez ses parents voir si on ne tuait pas le veau gras. C'est quelque part sur la Côte, du diable si je me souviens du patelin.

— Si un jour vous pouvez faire suivre ces noms de ceux d'une rue et d'une ville, pensez à moi.

— Bien sûr. Mais ça ne sera pas de sitôt et je doute fort que cela vous aide. Ils connaissaient Colomer par mon intermédiaire... autant dire qu'ils en savent encore moins que moi.

— Bernier les fait rechercher ?

— Sans doute. Cela fait partie de la routine, n'est-ce pas ? S'il leur met la main dessus, ils ne pourront lui fournir que des renseignements sans importance. Une cigarette ?... Ah ! c'est vrai, vous n'aimez pas cela.

— Merci tout de même. Hum... Bonimenter comme cela donne soif. Si je me souviens bien, dans le temps vous aviez une bonne cave...

— Sacré Burma ! s'écria-t-il. Voilà la question la plus

importante que vous vouliez me poser, hein! vieux
renard? Hélas! croyez-vous que je l'aurais attendue
pour aligner les verres? Je n'ai plus rien. J'ai négligé de
prendre autant de précautions pour mes spiritueux que
pour mon tabac favori. Mais qu'à cela ne tienne. Je n'ai
rien de spécial à faire ici. Je vous invite à boire un ersatz
dans un café chauffé par les consommateurs.

— Je ne pourrai vous accorder que peu de temps,
dis-je en quittant mon fauteuil. J'ai rendez-vous avec
un journaliste...

— Où cela?

— Dans un petit cabaret sympathique du passage
de... Oublié le nom. C'est près du Guignol.

— Y a-t-il indiscrétion à vous accompagner?

— Nullement. Si vous voulez bien oublier que je
m'appelle Nestor Burma.

Il leva les sourcils.

— Ah! ah! fit-il. Très excitant. Je vous suis. Nous
parlerons du bon vieux temps.

Avant de partir, il laissa des instructions à son larbin.
Celui-ci lui remit une convocation apportée par un
agent cycliste. Il la glissa dans sa poche et me rejoignit.

Marc Covet m'attendait dans la tiédeur du *Bar du
Passage*, appréciant en silence les qualités d'un apéritif
synthétique.

— Avez-vous les renseignements? attaquai-je sans
préambule.

— Vous êtes poursuivi par la police? répondit-il.
Bonjour, monsieur. Asseyez-vous et prenez ce qu'il y
aura de plus fort en alcool. Non, je n'ai pas vos
renseignements. Le critique littéraire s'est absenté. Il a
une copine de l'autre côté de la ligne et comme il
bénéficie d'un laissez-passer permanent... Il sera là
demain. J'ai cru pouvoir attendre et ne pas poser ces
questions à un autre... Si un type doit être au courant
de mes apparentes turpitudes, autant que ce soit
toujours le même, n'est-ce pas? Ce n'est pas à un jour
près?

— Non, ce n'est pas à un jour près.

Là-dessus, je procédai à des présentations tardives et nous prîmes place. Nous bûmes trois apéritifs (chacun sa tournée) auprès desquels l'eau d'Evian faisait figure d'explosif.

— Dînons ensemble, proposai-je, écœuré. Vous fournirez les tickets et moi l'argent.

— Accepté, dit Marc. Je connais un restaurant pépère.

Nous allâmes dans un endroit peuplé de journalistes, parisiens et locaux. Ces jeunes gens étaient reconnaissables à leurs vêtements clairs, aux stylos qui dépassaient de leurs pochettes et à la façon particulière qu'ils avaient de désigner par leur nom de baptême, comme s'il se fût agi de garçons de café, les ex-députés et les artistes. Certains saluèrent l'avocat, mais personne ne reconnut en moi le directeur de l'Agence Fiat Lux et pas une fois je n'entendis une allusion au crime de Perrache. A quelques amis, Marc me présenta sous le burlesque pseudonyme de Pierre Kiroul, auquel il paraissait tenir. Il posait des jalons pour le jour de la révélation finale et de l'article sensationnel.

Au cours du repas, je m'interrompis subitement dans la mastication d'un bifteck illégal et qui, pour cette raison sans doute, était dur. Une idée m'était venue.

— Marc... Votre critique littéraire a un laissez-passer permanent, m'avez-vous dit ? Et vous ?

— Oui, à la première question ; non, à la seconde. C'est dommage, ironisa-t-il, car il ne fait aucun doute que vous m'auriez demandé un nouveau service, n'est-ce pas ?

— Exactement. J'ai un message urgent à faire parvenir à Paris. Les cartes interzones mettent des siècles. Si vous aviez pu passer la ligne cette nuit, vous auriez envoyé ma lettre du premier bled venu. Et vous, Montbrison ? Pas de messager, parmi vos relations ?

— Non, fit l'avocat. Je dois aller à Paris dans quelques jours. A cet effet, j'ai sollicité un laissez-passer... (il sortit de sa poche le pli apporté par le cycliste)... et je suis convoqué au commissariat. J'obtiendrai cette pièce... mais trop tard pour vous proposer mes services.

Marc posa sa fourchette et me prit la main.

— J'ai mieux que cela, dit-il, répondant à ma suggestion. Voyez-vous le dîneur en veston marron, là-bas, celui qui a conservé son chapeau sur la tête ? Il part cette nuit pour Paris, il y sera à sept heures, demain matin... Hé ! Arthur, appela-t-il. Viens ici, que je te présente un vieux copain...

Le journaliste au chapeau avait terminé son repas. Il vint à notre table et, les présentations terminées (monsieur Pierre Kiroul — maître Montbrison — monsieur Arthur Berger — ...chanté), demanda ce que nous offrions. Dix minutes plus tard, mis au courant de ce que j'attendais de lui, il acceptait sa mission.

Sur une feuille de papier pelure, j'adressai à Florimond Faroux, mon informateur à la P.J., un policier que j'avais tiré jadis d'une situation délicate et qui m'en était reconnaissant, des considérations originales sur la pluie et le beau temps. Traduites, mes gloses météorologiques signifiaient qu'une surveillance du 120, rue de la Gare, et un rapport sur ses habitants m'aideraient beaucoup. Il était prié de faire parvenir la réponse à Marc Covet, rédacteur au *Crépu*.

— Ce n'est pas très compromettant, rigola Arthur, lorsqu'il eut, à ma demande, pris connaissance de l'épître.

— Non. Et c'est pour un poulet. Cela offre toutes garanties.

— Tu parles.

— Envoyez par pneu, suggérai-je.

— D'accord. Si le train ne déraille pas, cela sera chez votre type demain matin. Qu'est-ce que vous offrez ?

Il avait fini son verre et bu ce qui restait dans celui de Marc. Nous demandâmes une bouteille de bourgogne. C'était du vulgaire aramon, mais il était buvable. Nous en prîmes une autre, une autre encore... Nous étions tous très gais. Au milieu de mon ivresse, je pensais avec attendrissement à ma lettre. Entre les mains d'un pareil type, elle était foutue. Il allait louper son train, c'était couru... Et s'il ne le loupait pas, il oublierait ma lettre dans sa poche... Ah ! qu'il était de bon conseil, ce Marc Covet, et que ses copains étaient donc d'un drôle de gabarit !

Ainsi ruminant et sérieux comme un pape, j'observais M. Arthur Berger nous narrer, d'une voix épaisse, les plus réussis de ses exploits journalistiques. Il avait une curieuse façon de dévisager Montbrison. Il ne le quittait pour ainsi dire pas du regard, le toisant par-dessus son verre lorsqu'il buvait et inclinant la tête, d'un air grotesquement agressif, comme s'il regardait par-dessus des lunettes imaginaires, lorsqu'il parlait.

Soudain, au milieu d'une période bien balancée sur je ne sais plus quoi, il s'arrêta court et nous confia qu'il était un type extraordinaire.

— Oui, répéta-t-il en s'adressant à l'avocat, un type extraordinaire. Et je vais vous le prouver tout de suite. Comment va votre blessure ?

— Ma... ma blessure ?

Montbrison était dans le même triste état que son interlocuteur. Il conservait son sourire racé, mais roulait des yeux vagues.

M. Arthur Berger renifla bruyamment et le menaça d'un index tremblotant. Et il entama un discours.

Il ressortait de celui-ci qu'il avait rencontré Montbrison pendant la guerre, en juin 40, à Combettes, un bled perdu, mais où cela chauffait dur et où lui, Arthur Berger, se trouvait en qualité de correspondant de guerre pour le compte de... (Ici, tel hebdomadaire et petite digression pour nous faire comprendre que le directeur de cet organe n'attachait pas ses rédacteurs avec des saucisses.) Montbrison était blessé. C'était pas vrai ? L'avocat convint que c'était vrai. Une légère blessure à la main ? Exact. Sur ce, M. Arthur Berger

entonna son propre éloge. Un type extraordinaire, qu'il
était. Montbrison le félicita pour sa mémoire éton-
nante. Ne voulant pas être en reste d'amabilité, le
journaliste congratula l'avocat de son esprit de décision. Ah! en voilà un qui n'avait pas été long à se
frusquer en civil pour ne pas être fait prisonnier. Lui,
Arthur Berger, qui était pourtant passablement
débrouillard, n'avait trouvé ce qu'il lui fallait que le
lendemain. Et ainsi de suite. Un vrai discours.

Je proposai d'arroser cette rencontre. Cet incident
m'avait rasséréné. Un type doué d'une telle mémoire
ne pouvait pas me jouer le tour d'oublier ce dont je
l'avais chargé. Et puisque nous étions sur le chapitre
des prisonniers ou de ceux qui avaient failli l'être, je
racontai quelques histoires.

A dix heures et demie, M. Arthur Berger nous
quitta. Il était ivre, mais ne perdait pas le nord.

— N'oubliez pas mon pneu, recommandai-je.

— Votre poulet aura son poulet, ricana-t-il.

Trente minutes plus tard, le patron du restaurant ne
put éviter de jeter à la rue d'aussi bons clients.

— C'est l'heure, s'excusa-t-il.

Dehors, nous faillîmes nous battre.

Débordants d'amour pour les prisonniers libérés, le
journaliste et le cher maître voulaient à toute force
m'offrir l'hospitalité. Je dis : non et fus plus ferme dans
ma résolution que sur mes jambes. Je voulais regagner
l'hôpital. Ce n'était pas une raison, parce que j'avais
obtenu une permission, pour que je découche. L'heure
à laquelle j'aurais dû rentrer était passée depuis longtemps, évidemment mais...

— Alors, je vous accompagne, insista Montbrison.

— Et moi... et moi aussi, balbutia Marc. La marche
nous fera du bien.

Ils me lâchèrent à dix mètres du bâtiment à croix
rouge.

Là, je me fis passer un savon par un olibrius qui me
contesta le droit de m'habiller en civil et m'avertit que,

pour ma prochaine permission, je pourrais repasser. Etant suffisamment ingambe pour sauter le mur, je me contentai de ricaner insolemment.

Sur mon lit, je trouvai une lettre et une valise dont la vue me rendit une partie de mes esprits. Ces deux objets avaient un expéditeur commun : Edouard. Il était à Castelnaudary, utilisait quatre pages pour me dire que sa santé était bonne, qu'il espérait que la présente me trouverait de même et qu'il m'envoyait mon bien.

J'ouvris la valise.

On m'avait dérobé deux paquets de tabac, ainsi qu'une paire de chaussettes et un caleçon, mais, d'une poche secrète, inviolée, préparée au camp en prévision de la fouille, je tirai d'une main incertaine ce pourquoi j'avais tant désiré récupérer mon bagage : les empreintes digitales et la photo de l'amnésique du stalag.

Je mis ces deux documents en sûreté, dans la poche de ma chemise. Ensuite, je me coulai dans les draps froids, allumai une pipe et essayai présomptueusement de réfléchir.

CHAPITRE VI

FAUSSE ADRESSE

Au bout d'un instant, je m'aperçus que le lit de mon voisin remuait. De dessous, émergea Greta Garbo. Elle vint à moi, comme pour me parler, s'immobilisa soudain, son regard dirigé vers la porte. Celle-ci s'ouvrit lentement, livrant passage à la fille au trench-coat, toujours en possession de son automatique. Je bondis du lit, sautai sur la fille et la désarmai. Il était temps. Du lit numéro 120, inoccupé la veille, un malade surgissait. Il était entièrement vêtu et tenait à la main une mallette de bijoutier. C'était Jo Tour Eiffel. Sous la menace de mon revolver, il ouvrit sa sacoche pour en extraire un magnifique collier de perles qu'il passa au cou de l'artiste suédoise. Cette opération menée à bien, je tirai. Il s'écroula en jurant et, une fois au sol, se métamorphosa. Ce n'était pas l'escroc, mais Bob Colomer. Sur ces entrefaites, un monôme de journalistes envahit la salle, qui n'était d'ailleurs plus une salle d'hôpital mais un restaurant. J'aperçus Marc Covet et Arthur Berger, tous deux manifestement ivres. Je m'apprêtais à les rejoindre, lorsque le commissaire Bernier m'en empêcha. Il ne fallait pas mélanger les torchons et les serviettes, me dit-il. Désormais, des cloisons étanches sépareraient les professions. Les reporters d'un côté, les détectives privés de l'autre. A haute voix, je me traitai d'idiot.

— Les permissions ne vous réussissent guère, me

gronda doucement l'infirmière. Vous êtes tout agité.
Buvez cette tisane. Après, cela ira mieux.

J'ouvris les yeux. Un jour sale pénétrait dans la
pièce. Ma pipe avait roulé au sol, répandant une traînée
cendreuse sur le drap. J'avais la gueule de bois. Je bus
la tisane sans rien dire.

Je me rasai. Les douches fonctionnaient ; j'en pris
une. Ça allait beaucoup mieux. Ensuite, dédaignant le
bureau où l'on délivrait les titres de permission, j'allai
rôder près des cuisines. En un clin d'œil, je fus dehors.

Un bar m'accueillit. Je consultai l'annuaire et dressai
une liste de cinq noms.

Il était trop tôt pour commencer mes démarches. Je
tuai le temps en fumant quelques pipes le long des
quais. Il faisait froid, mais c'était supportable. Lorsque
j'entendis sonner dix heures, je me mis au travail.

Je visitai d'abord un certain Pascal, demeurant rue de
Créqui, au fond d'une cour obscure. L'individu qui me
reçut et qui s'intitulait « secrétaire », avait tout du
gorille. En dépit de l'instruction obligatoire, je le
soupçonnai fort de ne savoir ni lire ni écrire. Il
commença par me parler de rendez-vous. Rien qu'à la
façon dont ce fut dit, l'aspect du « secrétaire » aidant,
je fus fixé sur la qualité de cette officine. Je n'insistai
pas, déclarai que je téléphonerais et sortis. M. Pascal
devait pratiquer le chantage. Cela ne faisait pas mon
affaire. Je rayai son nom de la liste.

Je vis encore trois autres policiers privés, ou soi-
disant tels, qui ne me plurent pas davantage. L'un avait
l'air trop malin, l'autre pas assez, le troisième était
gâteux.

L'après-midi était avancé, lorsque je découvris, dans
une rue coquette, voisine de la Tête-d'Or, le *right man*,
celui par qui j'aurais dû commencer et qui, bien
entendu, était le dernier de la liste.

C'était un nommé Gérard Lafalaise, enthousiaste et juvénile, qui me convint tout de suite. Les locaux dans lesquels il élaborait ses savantes déductions étaient nets ; sa secrétaire était agréable et me rappela la mienne propre, Hélène Chatelain.

— Je m'appelle Nestor Burma, dis-je. Vous avez sans doute appris par les journaux qu'un de mes collaborateurs du nom de Colomer a été assassiné en gare de Perrache.

— Mais... mais certainement, bafouilla-t-il.

— Voici ce que j'attends de vous, continuai-je, après lui avoir laissé le temps de se remettre de sa surprise. Il ne serait pas impossible que Colomer qui eut, un moment, l'idée d'organiser un bureau similaire à la firme de Paris, se soit abouché avec des employés d'agences locales. De toute manière, mon malheureux agent qui, de l'avis des témoignages, menait une vie retirée (cela n'a rien d'extraordinaire, il était peu liant), a pu essayer d'entrer en rapport avec des détectives lyonnais. Je compte sur vous pour me fixer sur ce point. Je ne crois pas qu'il ait jamais vu quelqu'un de votre agence, car l'honnêteté dont vous faites montre (il s'inclina, flatté) vous eût amené à en informer la police, mais il se pourrait fort qu'il soit entré en relations avec certains de vos collègues.

— Je ferai mon possible pour vous être agréable, m'assura Gérard Lafalaise. Ce n'est pas tous les jours que l'on a Dynamite Burma comme client.

— Autre chose, dis-je. Votre métier exige que vous soyez physionomiste. Connaissez-vous cette jeune fille ? L'avez-vous rencontrée, une seule fois ? Elle est remarquable.

Ses yeux quittèrent le portrait que je lui tendais. Il me dévisagea avec ambiguïté.

— Très remarquable, en effet, dit-il, avec une pointe de sécheresse. Mais je ne comprends pas cette plaisanterie. Vous me montrez là la photo de Michèle Hogan.

— Oui. Je recherche une personne qui ressemble

étrangement à cette actrice. A défaut de la photo de
l'original, j'ai pris celle-ci. C'est toujours mieux que
rien. Alors ?

— Non, répondit-il, détendu. Si j'avais jamais rencontré quelqu'un qui ressemblât à cette artiste, vous
pensez bien que je m'en souviendrais...

— Votre secrétaire ? Un de vos agents ?

— On peut voir.

Il sonna la dactylo. Avait-elle jamais remarqué, au
cours de ses déplacements en ville, une jeune fille
ressemblant à s'y méprendre à Michèle Hogan ?

— Non, dit-elle, en rendant la photo. Le fils de sa
crémière ressemblait à Fernandel, mais...

— C'est bon, coupa mon jeune confrère. Lorsque
Paul, Victor et Prosper rentreront, posez-leur la question, si je ne suis pas là.

Après avoir donné mes instructions et discuté des
honoraires, je pris congé. La nuit était venue et avec
elle s'était épaissie la brume. L'éclairage urbain, déjà
atténué par un camouflage de demi-défense passive,
s'efforçait de la percer sans succès. Je passai le pont de
la Boucle en frissonnant, faisant résonner son tablier de
fer sous mes souliers cloutés. On n'y voyait pas à deux
mètres. Précipiter quelqu'un dans le Rhône eût été un
jeu. De l'autre côté du pont, je pris place dans un
tramway cahotant, grinçant et peuplé d'usagers
moroses.

Après un tel voyage, l'atmosphère ouatée du *Bar du
Passage* fut la bienvenue. Je m'installai près du poêle.
Peu après, Marc Covet arriva.

— Le critique littéraire m'a conseillé de bonnes
douches froides, dit-il.

— Ce digne homme est donc revenu ? Et cette
bibliographie ?

— La voici.

Il me tendit un papier.

— Ce sont exactement les mêmes livres qu'il vous
avait indiqués pour Colomer ?

— Exactement les mêmes.

Je pliai la feuille et l'envoyai rejoindre les autres documents.

Marc ôta son pardessus, l'accrocha à la patère, s'assit, commanda une consommation et se frotta frileusement les mains. Soudain, il se frappa le front.

— Ah! s'écria-t-il. J'oubliais que je faisais fonction de boîte aux lettres. J'ai reçu cela pour vous. C'est apparemment de votre copain le poulet. Il a fait vite.

— S'il n'avait pas de combine, ce serait à désespérer. Mais c'est quand même ahurissant qu'il ait été si rapide. Refuserait-il de m'aider?

J'ouvris le télégramme de Faroux.

Il n'existe pas de 120 rue de la Gare, disait-il.

CHAPITRE VII

LE PONT DE LA BOUCLE

Cette nuit-là, je ne rentrai pas à l'hôpital.

Après un repas hâtivement expédié, je demandai l'hospitalité à Marc. Le journaliste comprit que ça n'allait pas fort et ne se permit aucune critique. Tout au plus soupira-t-il plus profondément qu'il n'y avait lieu en retirant deux couvertures de son lit pour me les donner.

J'étais en difficulté avec mon godillot gauche (le dernier à enlever) et le lacet me resta dans la main, lorsqu'on frappa à la porte. La voix chantante du portier prévint à travers l'huis qu'on réclamait M. Covet au téléphone.

Marc descendit en bougonnant, pour remonter presque aussitôt.

— C'est pour vous, évidemment, dit-il. Le type attend.

Je regardai l'heure. Il était minuit. Gérard Lafalaise avait fait vite.

— Allô, dis-je. C'est moi.

— Allô! Monsieur Burma? Ici Lafalaise. Il faut que nous nous voyions tout de suite. J'ai du nouveau.

— Félicitations. Vous êtes un rapide. Allez-y.

— Pas au téléphone. Le mieux est que vous veniez.

— Chez vous? A la Tête-d'Or?

— A la Tête-d'Or, oui. Mais pas chez moi. Je ne vous téléphone pas de mon bureau. Je suis chez un ami (il ricana) que je ne peux pas quitter... un ami qui aimerait vous parler de vedettes de l'écran...

— Fichtre... Très bien. Où dois-je me rendre ?

Il me fournit les explications. C'était assez compliqué. Il proposa d'envoyer quelqu'un à ma rencontre sur le pont de la Boucle. J'acquiesçai.

— Que diriez-vous d'une petite balade au parc ? dis-je à Covet en me rechaussant. Donnez-moi un lacet.

— Une... Par ce temps-là ? Voici le lacet.

— Merci... N'oubliez jamais que je possède les éléments d'un article époustouflant.

— Quel rapport ?

— Etroit.

— Alors, je risque la mort. Mais je vais mettre de grosses godasses ferrées. Je redoute le froid aux pieds.

— Et un béret, suggérai-je. Quelque chose dans le genre du mien. On peut s'en couvrir les oreilles ; c'est très pratique. Cela manque d'élégance, mais nous n'allons pas à un rendez-vous galant... encore qu'une jolie femme soit dans le coup.

— A propos, inutile de vous demander des explications sur le but de cette promenade nocturne, n'est-ce pas ?

Je m'esclaffai.

— Absolument inutile, vieux.

— Satané patelin, grogna-t-il, une fois dehors. Vivement Paris.

Il émit encore quelques remarques au sujet des patrouilles que nous étions susceptibles de rencontrer. Je ne répondis pas et il se tut. D'ailleurs, dans une certaine mesure, le brouillard opaque obligeait à garder la bouche fermée. Nous accomplîmes le reste du trajet en silence.

Un peu avant le pont de la Boucle, le lacet de Marc me joua un sale tour. Il se rompit. Je le réparai, permettant à mon compagnon de prendre une légère avance.

Sauf le grondement du fleuve impétueux et, sur le

pont, le bruit sec des talons de fer de Marc Covet, la ville était étrangement silencieuse. Tout dormait. Tout était calme. Le roulement lointain d'un train me parvint, rassurant. Au même instant, un appel angoissé troua le silence et la brume.

L'esprit en éveil, j'attendais ce cri. Je bondis, lui faisant écho, pour me situer et inviter Marc à en faire autant.

Vers le centre de l'ouvrage d'art, sous la lueur jaunâtre d'un dérisoire feu de position, le journaliste était aux prises avec individu qui s'efforçait de le jeter par-dessus bord.

En me voyant surgir à ses côtés, l'homme ne perdit pas le nord. Il assena un coup formidable au reporter et l'envoya au tapis pour le compte. Alors, il me fit face. Je l'agrippai et nous roulâmes l'un sur l'autre. Un instant, il eut le dessus. J'étais empêtré dans mes vêtements d'hiver et lui était en veston. Je fis un violent effort pour me dégager et nous nous retrouvâmes debout, tels deux tragiques danseurs. Visiblement, l'apache essayait de me faire subir le sort qu'il n'avait pu infliger à mon ami.

Il fallait en finir. Je réunis mes forces et donnai un suprême coup. L'agresseur desserra son étreinte et s'accota au parapet étincelant d'humidité. Je lui plongeai mon genou dans le ventre et le redressai d'un uppercut. Ses pieds manquèrent m'atteindre en pleine face. Je jurai comme cela ne m'était pas arrivé de longtemps.

Je courus à Marc. Il se redressait péniblement, se frictionnant le menton.

— Où est ce boxeur ? fit-il.

— J'ai mal calculé mon coup, répondis-je. J'ai frappé trop fort... la barre d'appui était grasse. Il a basculé.

— Il a... Vous voulez dire que...

Il montra le Rhône qui grondait à dix mètres au-dessous de nous.

— Oui, dis-je.

— Bon Dieu !

— Vous vous apitoierez une autre fois. Pour l'instant, allons à votre canard. J'ai besoin de téléphoner et je veux le faire sans chinoiseries, sans avoir à montrer mes papiers, remplir une fiche et donner le signalement de ma grand-mère.

— C'est une idée. D'autant meilleure que j'ai besoin d'un tonique et que je connais un placard où il y a du cognac.

En cours de route, il me demanda :

— Bien entendu, vous saviez ce qui allait nous arriver ?

— Je m'en doutais.

— Et vous m'avez laissé chausser des godillots aussi bruyants que les vôtres ? Et mettre un béret comme le vôtre ? En un mot, adopter votre silhouette ?

— Oui.

— Et vous m'avez fait passer devant ?

— Oui.

— Et si j'étais tombé dans la flotte ?

— Vous ne pouviez pas. J'étais là. J'attendais votre appel.

— Si vous étiez arrivé trop tard ? Si je n'avais pas eu le temps de crier ? Si vous aviez glissé ? Si vous...

— J'aurais toujours tenu votre agresseur. Moi dans le jus et vous avec ce type, cela n'aurait servi de rien. Vous n'auriez pas su quelles questions lui poser. Tandis que moi le tenant...

— ... Et moi en train de voguer vers Valence...

— Je vous aurais vengé.

— Vous êtes vraiment un chic type, ricana-t-il, amèrement.

Une pause, puis :

— Que vous sachiez ou non quelles questions lui poser, c'est un peu tard, siffla-t-il.

Il paraissait triompher.

— C'est en effet un sale coup, concédai-je. Mais j'espère me rattraper. Le tout est de faire vite.

Au *Crépuscule* replié, trois reporters jouaient aux cartes dans une salle de rédaction enfumée, encombrée et silencieuse. Ils saluèrent Marc et ne nous prêtèrent plus aucune attention.

Tandis que mon compagnon forçait le placard aux spiritueux, je me précipitai sur le téléphone et demandai le bureau de Gérard Lafalaise. Personne ne répondit. Je ne m'en étonnai pas.

Je fis une incursion dans l'annuaire et téléphonai à tous les abonnés du nom de Lafalaise. Ils étaient relativement nombreux. Pas mal d'entre eux, indignés d'être dérangés en plein sommeil, m'envoyèrent au diable. Enfin, un nommé Hector Lafalaise me dit être l'oncle de celui que je cherchais. Je le conjurai de me révéler le numéro privé de son neveu. Après quelques résistances, il consentit à me satisfaire.

— Buvez ça, assassin, me dit Marc.

C'était du cognac, dans un verre à moutarde, bien propre, si l'on peut dire, à enthousiasmer un détective. Il était couvert d'empreintes.

Je bus l'alcool et demandai le numéro privé. Quelqu'un dit : « Allô », d'une voix ensommeillée. C'était un larbin. M. Gérard, me dit-il, n'était pas là.

— Affaire extrêmement importante, tonnai-je. Où puis-je trouver votre maître ?

Il fallut parlementer un bout de temps, rendre ma voix tantôt persuasive, tantôt menaçante. Enfin, j'obtins le renseignement. Le détective privé était à une surprise-partie de la comtesse de Gasset. Le larbin ajouta l'adresse de cette aristocrate.

— Encore besoin de vous, dis-je à Marc. Cette fois, nous allons dans le monde.

Nous retournâmes dans le brouillard. Chemin faisant, le journaliste me donna des détails sur la comtesse. C'était une petite écervelée. Rien dans sa conduite ne prêtait à suspicion.

La surprise-partie avait lieu dans un bel appartement du sixième étage d'un building proche des Brotteaux. Une servante de comédie nous introduisit dans un vestibule parfumé. Un bruit de conversations et de rires nous parvenait, ainsi que les sons d'une musique syncopée.

Une porte s'ouvrit et Gérard Lafalaise vint vers moi, la main tendue. Un étonnement non simulé se lisait sur ses traits.

— Eh bien ! s'exclama-t-il, pour une surprise-partie c'est une surprise-partie. Du diable si je m'attendais à recevoir votre visite ici.

— Notre métier est truffé d'imprévu, dis-je. Quant aux surprises-parties, c'en est incontestablement la soirée. Je sors d'une, qui était donnée au pont de la Boucle, du haut duquel un de mes admirateurs voulait me précipiter.

— Vous !...

Il était pétrifié.

— Trouvons un endroit discret, suggérai-je.

Quand ce fut fait, je le mis au courant.

— Nous avions convenu d'employer nos prénoms au cours de nos conversations éventuelles, ce que le type ignorait. Aussi, ai-je tout de suite eu la puce à l'oreille.

— Et votre agresseur ?

— Il n'aura pas chaud, cet été. Il est au frigo. Maintenant, je vous proposerai de mettre votre manteau et de me suivre.

— Où cela ?

— Je n'en sais rien. Je veux dire que c'est vous qui avez l'adresse du lieu où je veux me rendre. Chez votre charmante secrétaire dont j'ignore même le nom.

— Louise Brel. Mais je ne comprends pas.

— Elle m'a paru trop sotte, cet après-midi, pour que ce soit naturel. Souvenez-vous : lorsque vous lui avez parlé de Michèle Hogan, elle a tenté de nous faire un discours sur Fernandel, comme s'il y avait un rapport. La vérité est qu'elle nous aurait aussi bien parlé du

pape pour cacher son trouble. Elle connaît la fille que
je recherche et, pour une raison ou pour une autre,
mon activité la gêne. Ce soir, sans perdre de temps, elle
a essayé d'y mettre un terme en me dépêchant un tueur.
Par les notes que vous avez prises et dont elle pouvait
avoir facilement connaissance, elle a su où me trouver
en cas d'urgence.

— C'est inimaginable, fit-il, incrédule, en secouant
la tête. Je ne suis qu'un petit détective de province et...
hum... il est peut-être osé de poser pareille question à
Dynamite Burma, mais... mais êtes-vous sûr de ne
point faire erreur ? Est-ce Louise qui vous a téléphoné ?

— Non. Elle a laissé tout faire au type... même le
plongeon non prévu au programme... du moins non
prévu avec cet acteur.

— C'est incroyable, dit-il sourdement. Vous vous
trompez certainement, Burma, ajouta-t-il avec force.

— Le meilleur moyen de s'en convaincre est d'aller
trouver l'oiselle, m'impatientai-je. Si vous restez là à
me faire part jusqu'à l'aube des raisons que vous aviez
de lui accorder votre confiance, elle risque fort de se
débiner. Vous êtes prêt ?

— Oui. C'est incroyable, répéta-t-il. Un verre de
rhum avant de partir ?

— Non. Un quart de litre.

CHAPITRE VIII

LOUISE BREL

Quoique dépeignée, Mlle Louise Brel était charmante. Le déshabillé opale dont elle s'était enveloppée lui seyait à ravir. Ses pieds nus, aux ongles peints, s'enfonçaient dans la fourrure de la descente de lit. C'était, comme on dit, un beau brin de fille. Mais s'il m'était donné de contempler encore un aussi séduisant tableau, ce n'était guère sa faute.

Lorsque Lafalaise avait sonné à cette coquette maison de banlieue et s'était nommé, elle avait étouffé une exclamation de surprise et, après avoir fait un tas de chichis, avait ouvert en tremblant.

Elle avait failli refermer à la vue du trio que nous formions dans la pénombre du couloir. J'arborais ma binette des grandes circonstances et le moins qu'on en puisse dire est qu'elle n'est pas particulièrement engageante.

Maintenant, elle se tenait devant nous, dans sa chambre minuscule et propre, si confortablement féminine, ne réalisant pas la situation. Ses yeux interrogateurs, bouffis de sommeil, allaient de l'un à l'autre des visiteurs nocturnes sans comprendre. Une légère inquiétude soulevait sa poitrine.

J'enfonçai la main dans la poche de mon pardessus et fis prendre à ma pipe l'apparence d'un pétard.

— Habillez-vous, dis-je autoritairement. Prenez vos papiers d'identité et suivez-nous. Vous avez à fournir

au commissaire Bernier quelques détails sur une agression dont je viens d'être l'objet de la part d'un de vos
complices...

Elle me dévisagea, ébahie. Enfin, elle eut recours à
son patron qui, visiblement gêné, lui lançait à la
dérobée des regards apitoyés.

— J'ai essayé de faire comprendre à M. Burma qu'il
faisait erreur, dit-il, d'un ton protecteur. Il serait
étonnant que vous fussiez une criminelle. Il vous accuse
de lui avoir tendu un traquenard. C'est... c'est...
Ecoutez, Louise, ne restez pas là, sans rien dire.
Défendez-vous.

— Me défendre de quoi et de qui ? fit-elle. Je ne sais
pas de quoi ce monsieur m'accuse. Un traquenard ? Je
ne lui ai jamais tendu de traquenard. Je...

— Connaissez-vous cette jeune fille ? coupai-je, en
lui mettant sous les yeux le portrait de la vedette.

— Oui. C'est Michèle Hogan.

— Merci, ricanai-je. Je l'ignorais. Connaissez-vous
quelqu'un qui lui ressemble ? Attention : nous avons
déjà posé la question, cet après-midi.

— Je me le rappelle.

— Vous ne m'avez pas répondu. Connaissez-vous
quelqu'un qui ressemble à cette actrice ?

— Non.

J'approchai mon visage plus près du sien.

— Connaissez-vous quelqu'un qui ressemble à cette
actrice ?

— Non.

Je lui pris les poignets, et les serrai fortement.

— Vous mentez.

— Non, dit-elle. Lâchez-moi. Vous me faites mal.
Elle recula, heurta le lit, s'y assit lourdement.

— A mon tour de dire non. Je vous lâcherai lorsque
vous serez devenue raisonnable, bébé. Connaiss...

Je fus interrompu par Gérard Lafalaise. Il posa sa
main sur mon bras, me regarda au plus profond des

yeux. Sa figure s'était contractée ; je lui voyais pour la première fois une expression d'agressivité.

— Monsieur Burma, souffla-t-il d'un accent de reproche, monsieur Burma, cessez immédiatement cette odieuse comédie. J'ai eu grand tort d'ajouter foi à vos extravagantes suspicions. Le renom dont vous jouissez en est-il peut-être la cause. En tout cas, je ne m'y prêterai pas plus longtemps. Et sincèrement, je vous dis que je regrette de vous avoir amené jusqu'ici. Je vous prie de cesser sur-le-champ de molester cette jeune fille, dont je me porte garant. De pareilles méthodes sont indignes et...

— Taisez-vous. On a voulu me balancer dans le Rhône, monsieur Lafalaise. Il n'y a que cela qui compte pour moi. Mais, discours pour discours, je veux bien faire droit à votre requête et lâcher un instant les frêles poignets de cet ange de pureté. Les lâcher un instant, histoire de vous faire entrevoir à quel genre de méthodes est dû le succès de Dynamite Burma.

Ce disant, mon poing partit et l'atteignit en plein menton. Il alla au sol, rejoindre son chapeau. Je lançai une écharpe à Covet.

— Attachez-le, dis-je. Cette pièce est trop petite pour que nous lui permettions de faire de grands gestes. Et mettez-lui un bouchon ; il voudra peut-être chanter en se réveillant et je n'aime pas son répertoire.

— Nous irons au bagne ensemble, Nestor, soupira-t-il.

Mais il s'exécuta.

La rapidité de la scène n'avait pas permis à Louise Brel de tenter de fuir. Elle était toujours sur le lit défait, l'esprit ailleurs, semblait-il.

Je m'approchai. Elle me repoussa et me menaça, si nous ne déguerpissions pas, de crier pour attirer la police. Cela m'amusa.

— La police ? ricanai-je. Mais ne vous ai-je pas invitée tout d'abord à me suivre au palais où le commissaire Bernier serait heureux de vous entendre ?

La police ?... Mais je ne la crains pas, petite fille.
(C'était faux. L'arrivée d'un flic m'eût embarrassé.) Si
quelqu'un ici doit la redouter, c'est vous. Vous, qui
soutenez ne pas connaître une certaine jeune fille, alors
que c'est faux ; vous, qui ne voulant pas que je
poursuive mes recherches relativement à cette personne — et vous allez m'expliquer pourquoi — m'avez
fait attaquer cette nuit par un homme de main, alors
que je courais à un faux rendez-vous... à un piège. Ce
rendez-vous m'avait été fixé par téléphone. Or, une
personne seulement à Lyon connaissait mon numéro
d'appel. Votre patron. Une deuxième pouvait facilement se procurer le renseignement : vous, en votre
qualité de secrétaire. Votre patron, je ne l'ai jamais
soupçonné. Lorsque je l'ai questionné, cet après-midi,
il m'a répondu franchement. Votre cas est différent.
Vous avez dit « non », assez rapidement, je dois le
reconnaître... pas assez toutefois pour que ma méfiance
ne soit éveillée et, comble de maladresse, pour dissimuler votre trouble et fignoler, vous avez voulu nous
raconter une histoire idiote... une histoire qui ne
cadrait malheureusement pas avec votre physionomie.
Vous n'avez pas l'air sot, permettez-moi ce compli-
ment. Aussi, lorsqu'un bonhomme, sur le pont de la
Boucle, m'a pris par la taille avec l'intention de
m'envoyer élucider les mystères des profondeurs flu-
viales, il ne m'a pas fallu vingt-quatre heures pour faire
le tour des suspects...

Je sortis ma pipe, ma blague et remis le tout dans ma
poche en grognant. Je n'avais plus de tabac.

— Alors ? poursuivis-je. Voulez-vous toujours appe-
ler la police ? Les agents en uniforme ont l'esprit lent.
Ne vaut-il pas mieux voir un commissaire ? Bernier, par
exemple. Celui qui enquête sur l'assassinat de
Colomer.

Tout en prononçant ces mots, je la surveillais attentivement. J'en fus pour mes frais. Elle m'avait écouté

avec un étonnement croissant. Elle ne bougea pas. Soudain :

— C'est donc cela, dit-elle d'une voix changée.

Elle se prit la tête à deux mains, se renversa sur le lit et pleura doucement.

— Si c'est un truc pour gagner du temps, fis-je sèchement, ça ne prend pas.

Elle renifla et d'une voix mouillée :

— On a voulu... vous... vous jeter dans le Rhône ?

— Vous ne le saviez pas, peut-être ?

— Non... je ne le savais pas.

— Evidemment. Pas plus que vous ne connaissez une fille ressemblant à Michèle Hogan...

— Si... J'en connais une.

— Enfin. Son nom ? Son adresse ?

— Je l'ignore.

— Cela recommence.

— Je vous dis la vérité. Pourquoi ne me croyez-vous pas ? Oh ! bien sûr, je comprends votre état d'esprit... Si vous avez manqué être jeté dans le fleuve...

— Par votre faute.

— Oui, par ma faute... mais je ne suis pas coupable.

— De demi-aveu en demi-aveu, nous finirons par tout savoir. Prenez votre temps, je ne suis pas pressé. Quel lien existe-t-il entre cette fille et vous ? Pourquoi...

— Je vous en prie... Ne me posez plus de questions, voulez-vous ? implora-t-elle, avec lassitude. Je vais tout vous dire.

— Entendu. Mentez modérément.

— Je ne mentirai pas.

Elle renifla, se moucha, sécha ses larmes.

— Je connaissais cette jeune fille, à la beauté si étrange, pour l'avoir vue plusieurs fois en compagnie de Paul, dit-elle. Je la soupçonnais d'être sa maîtresse...

— Qui est Paul ?

— Paul Carhaix. Un employé de l'agence.

— Ah ! ah ! Comment est-il ?

Elle me fournit un signalement qui correspondait à celui de mon agresseur, pour autant que la rapidité de la lutte et l'endroit où elle avait eu lieu m'avaient permis de l'examiner.

— Lorsque cet après-midi vous m'avez demandé si je connaissais un sosie de Michèle Hogan, je remarquai que vous paraissiez y attacher une certaine importance. Comme je vous savais être le célèbre Nestor Burma, je me dis qu'un danger menaçait peut-être l'amie de Paul et qu'avant de faire quoi que ce soit, mieux valait l'en informer. Je vous répondis donc négativement et comme je mens très mal, je crus trahir un certain trouble. Mon habileté à le dissimuler fut plutôt faible et il ne vous a pas échappé...

Elle me regarda, quasi admirativement.

— Il n'y a pas à dire, vous avez l'œil.

— Que voulez-vous ? fis-je, enjoué. Je suis Burma, l'homme qui a mis le mystère knock-out.

— A propos de knock-out, remarqua Covet, votre victime s'éveille.

Le paquet formé par Gérard Lafalaise s'agitait en effet dans son coin.

— Enlevez-lui son bâillon.

Le journaliste obéit.

— Et vous pouvez aussi m'ôter ces liens, grogna le jeune détective. Je suis réveillé, comme vous dites, depuis un moment et je n'ai rien perdu du début de la confession de Mlle Brel. Je reconnais que j'ai eu tort de ne pas vous croire aveuglément, Burma. Vous avez davantage d'expérience et de jugeote que moi. Excusez-moi d'avoir failli, par mon intervention intempestive...

— Vous voulez sans doute que je vous recolle le bâillon ? Chapitre des excuses. Je regrette d'avoir été forcé de vous envoyer au tapis, mais je n'avais pas le choix des moyens. Maintenant, asseyez-vous tranquillement dans un coin et ne bougez plus. Mlle Brel n'a pas terminé l'histoire de Blanche-Neige et du grand méchant loup. Allez-y, l'encourageai-je, en me tournant vers elle.

— Voulez-vous avoir l'obligeance de brancher le radiateur électrique ? pria-t-elle. Je n'ai pas très chaud.

Effectivement, elle frissonnait sous son léger déshabillé. Le journaliste à tout faire, qui depuis un moment se frottait frileusement les mains, ne se fit pas répéter l'invite.

— Lorsque Paul est rentré au bureau, ce soir, continua Mlle Brel, — vous étiez déjà parti, monsieur Lafalaise —, je l'ai mis au courant de ce qui se tramait contre son amie. Vous comprenez, à ce moment-là, je ne pouvais pas croire que cette jeune fille à l'air si doux fût coupable d'une mauvaise action. Quant à Paul, il m'avait toujours fait l'effet d'un honnête homme. Mais d'après ce que vous me dites, je crains qu'il ne me soit nécessaire de reviser cette opinion.

— Je le crains, en effet. Mais ne vous perdez pas en digressions. Que lui avez-vous dit au juste ?

— Que Nestor Burma avait visité le patron et que tous deux paraissaient rechercher cette jeune fille. Que cela me semblait une erreur monstrueuse de l'impliquer dans je ne sais quelle affaire criminelle et qu'elle devait être victime d'une machination. Il m'a remerciée d'avoir menti, me déclara avec chaleur que cette jeune fille était en effet au-dessus de tout reproche et qu'il allait lui-même de ce pas demander des explications à Nestor Burma. Savais-je son adresse ? J'étais trop engagée pour reculer. Je lui dis que vous aviez laissé votre numéro de téléphone, ou le numéro d'un de vos amis. Il me promit la discrétion la plus grande et je le lui communiquai, monsieur Burma, sans penser à mal et sans imaginer les... les conséquences... tragiques de ma conduite. Et maintenant...

Un court sanglot la secoua.

— Rassurez-vous, dis-je. Je ne suis pas mort. Le nom de ce joli sosie ?

— Je l'ignore.

— Bien vrai ?

— Oui, monsieur Burma.

— Au cours de la conversation que vous avez tenue avec Carhaix à son sujet, rien ne lui a échappé ? Même pas son prénom ?

— Non. Même pas son prénom.

— Et au cours de vos précédentes rencontres ? Ne vous l'a-t-il pas présentée ?

— N... on. Je passais sur l'autre trottoir.

— Ah ! Vous êtes sûre qu'il n'a pas prononcé son nom ce soir ?

— Absolument sûre.

— C'était sa maîtresse ?

— Je... je le crois.

— Vous n'en êtes pas certaine ?

— Non.

— Je vous remercie.

Je me tournai vers le détective lyonnais.

— Alors, monsieur Lafalaise, comprenez-vous ? Votre employé Paul Carhaix avait un motif puissant pour m'empêcher de m'occuper des affaires de sa jeune protégée, qui n'est pas sa maîtresse (il ne se laisse pas aller à prononcer même son prénom, ce qui, dans le feu de la discussion, eût été normal), mais une connaissance ou quelqu'un l'employant à votre insu. Muni du renseignement communiqué par Mlle Brel, il me téléphone en imitant votre voix du mieux qu'il peut. Il m'assure tenir quelqu'un susceptible de me renseigner sur la fille que je recherche, me donne rendez-vous dans un endroit impossible à trouver pour un homme peu familiarisé avec Lyon et propose d'envoyer quelqu'un à ma rencontre... Pour plus de sûreté, dit cet humoriste. Et il m'attaque sur le pont de la Boucle.

— Qu'est-il devenu ? fit Louise Brel.

— Vous aimez cet homme ? dis-je, sans répondre à sa question.

— Il a été mon amant. Puis, il a cessé de m'aimer, mais, moi je l'aime encore. Et c'est pour cela que je n'ai pas voulu reconnaître celle que je supposais ma rivale dans le portrait que vous m'en fîtes. C'est pour cela encore que je l'ai averti. Je n'aurais pas voulu qu'il souffrît, même indirectement. Qu'est-il devenu ?

— Tâchez de l'oublier, dis-je. Vous ne le reverrez plus. Il a fui. Il n'était pas digne de votre amour.

CHAPITRE IX

PERQUISITION

Nous reprîmes la voiture. Gérard Lafalaise bénéficiait d'un permis de circulation automobile. C'était une veine, par cette nuit de pérégrinations.

— Allons chez ce fameux Paul, dis-je. J'ai fait erreur en croyant que votre secrétaire était l'âme du complot. Je ne regrette que plus vivement de ne pouvoir ressusciter mon agresseur. Enfin, peut-être l'examen de son repaire fera-t-il germer une idée de génie dans mon crâne.

— Vous... vous n'avertissez pas la police ? hasarda timidement Lafalaise.

Il avait fait simultanément l'expérience de mon intuition et de mes... méthodes.

— Plus tard, plus tard. Auparavant, nous nous concerterons, d'ailleurs. Je ne voudrais pas que vous en disiez plus long que je jugerai bon d'en dire moi-même.

— Bien sûr, dit-il, enchanté d'être mon complice.

Il s'autorisa de cela pour, au bout d'un instant de silence, me questionner encore :

— Dites-moi... hum... pourquoi recherchez-vous ce sosie d'actrice ?

— Parce que je l'ai rencontré un soir dans l'autobus qui me croisait et que j'en ai le béguin.

Marc ôta sa cigarette de la bouche pour donner libre cours à son hilarité.

— Eh bien ! dit-il au détective, êtes-vous satisfait ?

Ne vous souvenez-vous plus de la réponse d'il n'y a qu'un instant au sujet de la police ? Cet homme est la franchise incarnée... Le jour où vous surprendrez Burma en train de s'épancher, télégraphiez-moi que j'assiste à la séance. Cela fera l'objet d'une « spéciale ». Il m'a dit à moi que c'était sa fille, enlevée par les bohémiens le lendemain de sa première communion.

— C'était *aussi* un mensonge, dis-je en souriant.

A ce moment, nous fûmes stoppés par une patrouille.

Gérard Lafalaise exhiba une carte spéciale, apparemment délivrée par une huile, car le policier ne s'inquiéta pas autrement, salua et nous laissa repartir. Il se contenta de nous faire respectueusement remarquer que nos phares étaient un peu trop lumineux. Ce n'était pas qu'on fût tellement sévère, question de défense passive, dans cette zone où le black-out n'était pas rigoureux, mais enfin il ne fallait pas exagérer. Surtout que la semaine précédente la région avait été survolée par des avions de nationalité inconnue. Lafalaise embraya sans tenir aucun compte de l'observation. Je bénis le hasard qui m'avait fait porter mon choix sur un personnage ayant le bras si long.

La demie de trois heures sonnait quelque part lorsque nous atteignîmes le logis du défunt assassin.

C'était, au second étage d'une maison sans concierge, un petit logement de deux pièces, donnant sur la rue. La porte cochère étant ouverte — encore un heureux hasard — nous pénétrâmes dans l'immeuble sans difficulté. Pour accéder à l'appartement, je fis appel aux talents spéciaux de Marc Covet. Avec une épingle à cheveux, il crochèterait la chambre forte de la Banque de France.

— A vous l'honneur, dit-il en s'effaçant.

Je le traitai de clown et entrai.

Nous fîmes la lumière, ce qui nous permit de constater que M. Paul Carhaix n'usait pas de lampes de moins de 150 watts. C'était un homme qui aimait y voir clair.

— Je vous conseille de conserver vos gants, avertis-je mes compagnons. Tôt ou tard, la police visitera ces lieux. Il est inutile de lui fournir un contingent anormal d'empreintes digitales.

Ces précautions prises, nous procédâmes à une inspection minutieuse de l'appartement.

— Que cherchons-nous plus particulièrement ? s'enquit Lafalaise.

— Un nom féminin et, si possible, l'adresse de celle qui le porte.

Nous fouillâmes les tiroirs, les livres bon marché qui se battaient en duel sur une étagère et le bloc de correspondance et les enveloppes qui, avec un encrier, un porte-plume et un cendrier réclame débordant de bouts d'allumettes, voisinaient sur une planchette tenant lieu de table à écrire. Tout cela, sans succès. M. Paul Carhaix était un homme d'ordre qui ne laissait rien à la traîne.

— On jurerait qu'on a procédé récemment à un nettoyage, remarqua Covet.

— Oui, Marc. L'homme n'avait sans doute pas l'intention de revenir, une fois son coup fait. Mais est-ce une conduite rationnelle ?

— Non, évidemment. Mais un criminel et un fou, c'est tout un.

J'ouvris la garde-robe. Elle contenait deux chapeaux, trois pantalons, un veston, deux pardessus et une gabardine.

— Combien votre employé possédait-il de pardessus, monsieur Lafalaise ?

— Je ne lui en ai jamais connu que deux, dit-il. Un gris foncé et... Eh bien ! ces deux-là, parbleu.

— Il était en veston, lorsqu'il m'a attaqué. Pour être plus à l'aise. Je présume que s'il avait projeté de fuir après le meurtre, il aurait au moins emporté un pardessus qu'il aurait déposé quelque part avant la bagarre. Or, il semble qu'il n'en soit rien. Nous ne sommes pas précisément à une saison où l'on peut se passer d'un pareil vêtement. D'autre part, en acheter un neuf me paraît hasardeux. Je débarque du stalag, mais j'ai entendu parler de bons d'achat pour les textiles.

— Le génial Burma est en train de nager, susurra Marc. Me permet-il de l'éclairer de mes faibles lumières ? Votre agresseur a tout rangé ici et fait disparaître les papiers compromettants — s'il y en avait — avant de combiner le guet-apens et avec l'intention de prendre le large s'il arrivait à ses fins. Mais rien ne l'empêchait, une fois son coup accompli, de revenir ici se vêtir décemment, attraper sa valise et disparaître.

— En effet, approuva Lafalaise.

— C'est possible, dis-je.

Seulement, il y avait dans le fond de la garde-robe une valise qui n'était pas en état d'être saisie en toute hâte. Néanmoins, je ne fis aucune observation.

Nous explorâmes la valise et les poches de tous les vêtements. Elles ne recelaient même pas un ticket de tramway.

— Nous pouvons filer, dis-je. (Je n'étais ni tout à fait satisfait, ni tout à fait déçu.) Rester plus longtemps ne nous avancerait pas.

A ce moment, Marc poussa un cri de triomphe. Il venait de découvrir dans la cuisine, sous de vieux journaux, au fond d'un bahut, à côté d'innombrables fioles ayant contenu du combustible inodore pour briquets, une paire de chaussures. Dans un des souliers, un revolver.

Je m'emparai de l'arme avec précaution. Elle était d'une marque étrangère, à fonctionnement automatique et de calibre .32. Son canon affectait une forme bizarre. Je ne pus me rendre compte si on s'en était servi récemment.

Le journaliste me montra l'endroit exact où il l'avait

découverte. Comme cachette, on pouvait espérer
mieux.

Je décrétai cette trouvaille peu intéressante et priai
Marc de la remettre en place. Ceci fait, je donnai le
signal du départ.

Gérard Lafalaise nous reconduisit à l'hôtel du reporter. Avant de le quitter, je lui fis réciter sa leçon afin
qu'il ne s'écartât pas de la version que j'étais disposé à
servir au commissaire Bernier ; lui fis promettre de
garder le silence sur les événements de la nuit et de
faire comprendre à Louise Brel qu'elle eût à tenir sa
langue. Il promit et partit.

— Charmante soirée, dit Marc en se déshabillant.
Une agression... dont j'ai manqué faire les frais ; un
type dans le jus ; l'interrogatoire au troisième degré
d'une appétissante blondinette ; la mise knock-out et le
garrottage d'un de vos alliés ; l'entrée par effraction
dans le logement d'un assassin décédé et fouille dudit.
Avec vous, on ne s'embête pas.

Je restai sans répondre, mâchonnant le tuyau de ma
pipe éteinte. Il continua à monologuer.

— Pour me rendre utile, je dégotte dans un soulier la
clé de l'autre monde... oubliée là par l'homme qui a si
bien nettoyé son logement avant de partir en expédition. Voilà qui pourra peut-être nous fournir un indice,
n'est-il pas vrai ? C'est compter sans le célèbre Burma.
« Laisse donc ce joujou en place, dit cet homme de
génie. C'est sans importance... »

Il fredonna *J'ai ma combine*, puis :

— Je pense à cette Louise Je-ne-sais-plus-quoi.
Comme vous l'avez secouée... Elle n'est pas mal, cette
fille. Elle a de très jolis yeux. Malheureusement, elle
est faite pour être employée d'une agence de détectives
comme vous pour présider aux destinées d'une société
de tempérance. Elle fait trop de sentiment... et elle
dirige la foudre sur la tête de Sherlock Holmes. Ah ! ce
n'est pas Hélène Chatelain qui se conduirait comme
cela...

— Qu'en savez-vous ?

— Bon Dieu, vous n'êtes donc pas muet ? Ma conversation vous intéresse ?

— Les secrétaires de détectives se valent toutes.

— Oh !... mais... Hélène...

Il me regarda avec sollicitude.

— Quelque chose ne va pas, hein ? Je vois ce que c'est. Vous tirez comme un malheureux sur votre pipe vide. Plus de tabac ?

Il désigna son veston jeté sur une chaise.

— Prenez une cigarette.

— Non. Je n'aime que la pipe.

— Décortiquez une Gauloise et fourrez-la dans votre fourneau.

— Non.

— Alors, un peu de rhum ? J'ai un fond de...

— Foutez-moi la paix et continuez à faire vous-même les demandes et les réponses.

— Avec vous, c'est le meilleur parti à prendre, soupira-t-il. Il est cinq heures. Vous devriez vous allonger.

— Non. Si vous le permettez, je vais réfléchir un peu. Dans une heure, j'irai prendre l'air.

— Comme vous voudrez. Mais ne tournez pas ainsi en rond. Vous me donnez mal au cœur.

CHAPITRE X

RUE DE LYON

Avant d'aller présenter au commissaire ma version des faits, je désirais m'entretenir avec Julien Montbrison. Cet avocat n'avait pas usurpé sa réputation. C'était une lumière juridique qui, dans un cas aussi épineux, pouvait être de bon conseil. A sept heures, j'actionnai la sonnette du rez-de-chaussée de la rue Alfred-Jarry.

Le larbin, d'aspect plus souffreteux que jamais, fit un tas de simagrées. Monsieur était encore au lit; ce n'était guère une heure convenable, etc. Enfin, il consentit à m'annoncer.

Il revint avec une réponse favorable (ce dont je n'avais jamais douté) et me pria d'attendre dans le bureau.

Je tuai le temps en parcourant distraitement du regard les illustrations de Dominguez pour les contes de Poe, ensuite en jouant avec le contenu d'un cendrier. Lorsque le grassouillet avocat me rejoignit, j'en étais à ma troisième opération : je me tournais les pouces.

Il s'était donné un coup de peigne hâtif et avait revêtu une robe de chambre de prix dans les poches de laquelle il enfouissait frileusement ses mains. Il avait l'air embarrassé du type surpris dans son sommeil. Il me tendit une main étincelante. Il devait dormir avec ses fameuses bagues.

— Quel événement me vaut le plaisir de votre visite

matinale ?... Si matinale..., ajouta-t-il, avec un accent
de reproche et en lorgnant la pendule.

— Je m'excuse de vous tirer du lit, dis-je. Mais j'ai
besoin de vos conseils. D'ici une demi-heure, j'aurai
une conversation avec le commissaire Bernier. Au
cours de cette conversation, je lui avouerai avoir, cette
nuit, basculé un homme dans le Rhône.

Il sursauta et en laissa tomber la cigarette qu'il avait
allumée dès le saut du lit.

— Rien ne m'étonne de la part de Nestor Burma,
dit-il ensuite. Mais tout de même... Quelle est cette
histoire ?

Je lui dis que j'avais chargé un détective de fouiller le
passé lyonnais de Colomer... Dans la mesure du
possible, bien entendu... Que cet imbécile avait dû
parler à tort et à travers, que c'était parvenu aux
oreilles d'un complice de l'assassin, sinon de l'assassin
lui-même, qu'il m'avait tendu une embuscade, mais
que, étant moins décati qu'il n'y paraissait, je m'étais
défait de l'apache... qui avait plongé à ma place.

— Parfait, dit-il, en souriant faiblement. Au moins,
vous, vous avez trouvé un ersatz de café-crème qui vaut
son pesant de matières grasses. Comme petit déjeuner,
cela se pose un peu là. Mais trêve de plaisanteries.
Félicitations d'abord pour avoir échappé à cet attentat... et ensuite, en quoi puis-je vous être utile ?

— En me fournissant pas mal de tuyaux... qui sont
de votre ressort. Je me demande comment le commissaire Bernier va prendre ce récit. Certes, il me connaît,
mais de réputation seulement... et la réputation d'un
détective privé... hum...

— En effet. Mais... tenez-vous à mettre ce policier
au courant ?

— C'est indispensable. Voyez-vous, l'affaire de Bob
et la mienne sont liées. Et je veux que mon assistant
soit vengé.

— Si votre agresseur et l'assassin de Perrache sont
une seule et même personne, il n'y a plus grand-chose à

faire. Les poissons tiendront lieu de jurés... et le jugement est exécuté avant d'être rendu.

— C'est possible, mais ma détermination est prise. Si ce fonctionnaire se mettait en tête je ne sais quoi, s'il avait des doutes touchant la légitime défense, si, en un mot, des difficultés surgissaient, vous pourriez les aplanir, n'est-ce pas ?

— Mais certainement.

Il alluma une nouvelle cigarette et nous arrêtâmes une sorte de plan de campagne. Je souhaitai ne pas avoir à m'en servir.

Je repoussai mon fauteuil.

— Dois-je vous accompagner chez ces messieurs ? proposa Montbrison.

— Etes-vous fou ? Que penseraient-ils en me voyant déjà pourvu d'un défenseur ? Pour le coup, ils me passeraient les menottes.

Il rit et n'insista pas. Je promis de le tenir au courant et m'en fus. J'avais du temps devant moi. J'écrivis trois cartes interzones dans un bureau de poste voisin. Ensuite, j'achetai un morceau de pain et le mangeai dans un bar, arrosé d'un café fortement sacchariné. Dans un tabac, je fis l'acquisition d'un paquet de gris et bourrai ma pipe en me dirigeant vers les locaux de la police. Le commissaire Bernier ne cacha pas son étonnement de me voir de si bonne heure.

— Vous avez l'assassin sur vous ? dit-il. Bon sang, où êtes-vous allé chercher ces yeux de lapin russe ?

Les siens étaient cernés, mais je m'abstins poliment de le lui faire remarquer.

— En faisant la nouba avec mon infirmière. Et si vous la connaissiez... Autant avoir des yeux de lapin russe que des yeux de poisson mort.

— Oh ! certainement. C'est tout ce que vous avez à me dire ?

— Oui. J'ai réfléchi à cette repartie toute la nuit. C'est rigolo, hein ?

— Rigolo ? Vous voulez dire que c'est marrant.

Positivement marrant. Et avec cela, vous avez l'air
franc d'un âne qui recule. Ne me faites pas languir.

— Je passais sur le pont de la Boucle, cette nuit,
lorsqu'un type m'a ceinturé, avec l'intention bien nette
de m'envoyer dans la flotte. Il était costaud, mais
malgré ma captivité, je le suis plus que lui. Nous avons
eu une conversation animée à l'issue de laquelle il est
parti à la nage. Je crois qu'il s'entraîne pour disputer la
Coupe de Noël.

La couperose du commissaire vira au violet. Il ouvrit
la bouche, ferma le poing et commença à faire danser
tout ce que supportait son bureau. C'était assez
curieux : à chaque coup de poing correspondait un
juron. Il en dévida ainsi un chapelet. Lorsqu'il s'apaisa,
j'y allai de mon boniment.

Il l'écouta silencieusement, changeant encore deux
ou trois fois de couleur, au cours de son déroulement et
ne parut pas mettre une seule de mes paroles en doute.
Cela marchait mieux que je n'aurais cru. C'était parfait.

— Cela vous apprendra à vous adresser à des
détectives privés, gouailla-t-il, lorsque j'eus terminé.
Ce sont...

Il s'arrêta court.

— N'oubliez pas que j'en suis un, fis-je doucement.

— Ouais. Je m'en suis souvenu subitement.

Il me demanda des détails. Je les lui fournis de bonne
grâce. C'est-à-dire que je passai une foule de choses
sous silence. Il n'avait nul besoin de connaître les
préoccupations sentimentales de Mlle Brel et notre
visite domiciliaire nocturne chez Paul Carhaix.

Le commissaire Bernier fronça les sourcils.

— Et ce détective ? C'est un homme sûr ? Ce ne
serait pas lui qui aurait fait le coup ?

— J'ai vu Lafalaise tout à l'heure. Il n'avait pas l'air
de sortir de l'eau...

— Ce n'est pas ce que je voulais dire. Il pourrait être
l'instigateur.

— Rien à glaner de ce côté-là, commissaire, dis-je

avec la plus grande fermeté. Absolument rien. C'est simplement un imbécile qui a la langue trop longue, quoiqu'il ne veuille pas en convenir. La fierté de me compter au nombre de ses clients lui a fait perdre la notion de ses responsabilités.

— Hum... Il ne faut rien négliger... Je ferai surveiller cet oiseau...

Il sauta sur le téléphone et l'accapara un bon quart d'heure. Il hurla ses ordres aux quatre coins de la maison. La brigade fluviale et celle des garnis, notamment, étaient l'objet de tous ses soins. Quand il délaissa l'appareil, il ruisselait.

— Ce soir... demain au plus tard, nous aurons votre homme, dit-il. On draguera s'il le faut, mais je veux voir ce type de près. Il n'a pas dû aller très loin. On le fouillera, on trouvera son adresse, on perquisitionnera chez lui... Quel idiot de vous avoir attaqué... Evidemment, il... lui ou son inspirateur... a eu peur que vous découvriez tout. Enfin, voilà une affaire qui se développe et se termine comme toutes les autres. On nage pendant plusieurs jours et, subitement, une gaffe est commise qui résout le problème en moins de deux.

Il vendrait encore la peau de l'ours, si je ne l'avais interrompu.

— Que dit le rapport d'autopsie? demandai-je.

— Ha, ha, ha! s'esclaffa-t-il. Attendez qu'on ait repêché le bonhomme...

— Je parle de l'affaire Colomer.

Il redevint sérieux.

— Je ne vous l'ai pas fait lire? Il n'est plus ici. Rien de particulier. Pistolet automatique, projectiles calibre .32. Votre assistant en avait six dans le dos. Le saviez-vous? A propos...

— Oui.

— Votre assaillant était-il français?

— Et sa grand-mère faisait-elle du vélo? Excusez-moi, mais j'ai omis de le lui demander.

— Vous auriez pu vous en apercevoir. Généralement quand on se bagarre, on s'engueule aussi. Pas d'accent ?

— Pas remarqué. Pourquoi ?

— Pour rien. Ces étrangers...

Il se mit à noyer le poisson dans un discours xénophobe.

Je l'interrompis une nouvelle fois :

— Aucune idée au sujet de la provenance des neuf billets dont Colomer était porteur ?

— Aucune idée. Maître Montbrison n'en sait là-dessus pas plus que nous. L'importance de cette somme vous tracasse ?

— Oui. Bob n'a jamais pu économiser autant... en admettant même qu'il en eût l'envie.

— Mon cher monsieur Burma, fit le commissaire, protecteur, nous vivons à une curieuse époque... Je connais à Lyon d'ex-traîne-savates qui sont maintenant des roule-carrosses... C'est une image...

— La recette ?

— Marché noir. Qu'en dites-vous ?

— Rien.

Je me levai, laissai des indications pour me joindre au cas où il y aurait du nouveau, promis au commissaire de lui réserver une de mes prochaines soirées pour organiser un petit poker (un jeu qu'il paraissait affectionner) et me retirai.

La bibliothèque proche me vit monter son glacial escalier de marbre. Tout en consultant la bibliographie fournie la veille par Marc Covet, je poussai la porte de la silencieuse salle de lecture. Un fonctionnaire à l'œil torve me délivra les volumes demandés. Je débutai par le bon.

Les Origines du roman noir en France, par Maurice Ache, s'ouvrirent d'elles-mêmes à la page voulue. Un papier y avait été oublié par le précédent lecteur. Le cœur bondissant, je reconnus l'écriture de Colomer.

En venant du Lyon, lus-je, *après avoir rencontré le divin et infernal marquis, c'est le livre, le plus prodijieux de son œuvre.*

Je constatai que Bob, qui écrivait *du* pour *de* et *prodijieux* pour *prodigieux,* avait hérité l'orthographe parentale. Je connaissais ce défaut. Pour l'heure, il authentiquait ce griffonnage.

Robert Colomer était venu chercher, dans les œuvres consacrées au divin marquis, la solution de cette devinette. Et il l'avait trouvée. Et dans son émotion, il en avait laissé le texte dans ce bouquin.

Il l'avait trouvée.

Un ongle, que j'imaginais fébrile et triomphant, avait, en marge, souligné une phrase :

...Sans équivalent dans aucune littérature, précédant de quatre années la publication du premier roman d'Ann Radcliffe et de onze années celle du fameux Moine de Lewis, cet OUVRAGE PRODIGIEUX...

Il s'agissait des *120 Journées.*

120... Le numéro d'un immeuble.

De quelle rue ? De la Gare ?

Non, pas de la Gare. Le télégramme de Florimond Faroux était formel. Il n'existe pas de 120 rue de la Gare. Alors ?

Je repris le cryptogramme.

— ... *En venant de Lyon...*

Les mots Gare et Lyon dansaient dans mon esprit. Mon inconscient les accouplait. Et soudain, je me demandai sérieusement s'il s'agissait de la rue de la Gare ou de la rue de (la Gare de) Lyon.

Alors, abstraction faite de la mystérieuse obstination apportée par les deux mourants à prononcer une formule secrète plutôt qu'un renseignement positif, une lumière se faisait jour.

La rue de Lyon... Je connaissais quelqu'un demeurant rue de Lyon. Quelqu'un dont je prévoyais depuis mon retour qu'il me faudrait, un jour, m'occuper. Cette

personne ne demeurait pas au 120, mais au 60, la moitié
de 120 comme par hasard. (Ce qui m'incita à diviser en
deux le nombre 120 fut la dualité de la personnalité du
marquis qui était à la fois divin *et* infernal, c'est-à-dire,
si l'on s'en tenait à une interprétation primaire, bon et
mauvais, moitié l'un, moitié l'autre, *moitié moitié.*)

Ce raisonnement n'était pas aussi gratuit qu'il y
paraît au premier abord. Il correspondait au besoin
latent que j'éprouvais de trouver dans ce puzzle une
place pour mon ex-secrétaire Hélène Chatelain, sur les
faits et gestes de qui j'avais posé quelques questions à
Marc Covet et qu'à tort ou à raison je supposais mêlée
sinon à la mort de Colomer, du moins au mystère dans
l'engrenage duquel mon assistant avait trouvé sa fin
dramatique.

Car je ne pouvais oublier que si deux hommes, en
trépassant, avaient prononcé la même énigmatique
adresse, l'un, le premier, l'amnésique du stalag, l'avait
fait précéder d'un prénom féminin : Hélène.

Certes, mon ex-secrétaire ne pouvait prétendre à
l'exclusivité de ce prénom et je dois à la vérité de dire
que, pas un instant, l'idée que ma collaboratrice pût
connaître le matricule 60202 ne m'avait effleuré après la
bouleversante mort de celui-ci. Mais depuis, il y avait
eu le meurtre de Colomer... Colomer qui connaissait et
Hélène et le 120 rue de la Gare. Toutes ces rencontres
étaient pour le moins curieuses et justifiaient mon
interprétation 120 rue de la Gare égale 60 rue de Lyon,
laquelle n'était ni gratuite ni trop subtile, mais la plus
économique, celle qui corroborait le mieux les soupçons que je nourrissais.

Assez ému, j'abandonnai mes études sadistes, sans
omettre de m'approprier le papier oublié par Colomer.
Dans un café, je rédigeai une nouvelle lettre pour
Florimond Faroux. Elle partit dans le courant de
l'après-midi, grâce à un de ces providentiels journa-

listes qui n'arrêtaient pas de faire le va-et-vient. Toujours en code, elle disait :

*Reçu télégramme. Merci. Surveillez et prenez en
filature mon ex-secrétaire Hélène Chatelain demeurant
60, rue de Lyon.*

CHAPITRE XI

L'ASSASSIN

Vers midi, je poussai une pointe jusqu'à l'hôpital. Personne ne parut avoir remarqué mon absence irrégulière. L'infirmière, qui ne pouvait pas ne pas s'en être aperçue, me rencontrant dans la cour, n'y fit aucune allusion. Elle se borna à me souhaiter le bonjour...

Je sortis de l'hôpital aussi aisément que j'y étais rentré. Un pâle soleil avait succédé au brouillard de ces derniers jours. Je gagnai les quais.

Sous les yeux des badauds, les gars de la brigade fluviale sondaient le Rhône. Leurs efforts ne paraissaient pas encore couronnés de succès. J'aperçus de loin, sur une petite barque, un imperméable et un chapeau mou gris de fer habités par un personnage couperosé qui, de temps en temps, aboyait un ordre. Il avait l'air rageur. Je me tâtai un instant sur la conduite à tenir, puis je descendis sur la berge.

Je m'apprêtais témérairement à héler le commissaire, lorsqu'un agent en tenue bondit d'un poste-vigie, se précipita dans une barque et rama vers le... canot amiral. J'entendis les éclats d'une brève conversation sans en comprendre un mot. Les deux embarcations quittèrent le milieu du fleuve et accostèrent à quelques pas de l'endroit où j'étais.

— Ah ! vous voilà, s'écria Bernier, en me reconnaissant. Vous tombez à pic. On vient de m'aviser que le grappin a pris un type à La Mulatière. Il n'a pas de pardessus, mais ce n'est pas un clochard. Il doit s'agir de votre bonhomme. Venez avec moi pour l'identifier.

Il donna quelques instructions à ses subordonnés, fit rallier le port à toute l'escadre et nous nous engouffrâmes dans la voiture de police. Une seconde automobile qui contenait les fonctionnaires de l'identité, photographes, toubib et tout le tremblement, démarra derrière nous. Nous enfilâmes les quais à vive allure.

En cours de route, le commissaire me confia avoir abandonné l'hypothèse selon laquelle Colomer, trafiquant lui-même, serait tombé victime d'une vengeance de gangsters du marché noir.

— Vous avez fait, en effet, allusion à quelque chose de ce genre, dis-je. Qu'est-ce qui vous y avait incité ?

— La somme de neuf mille francs trouvée sur cet homme que vous nous disiez vivant au jour le jour. Mais il y a peu — quelques heures à peine — nous avons eu toutes explications désirables. Après votre visite, une personnalité lyonnaise, qui rentre de voyage, est venue se mettre à notre disposition. Il y a quelques mois, elle a chargé Colomer d'une enquête délicate dont il s'est brillamment tiré. C'étaient ses honoraires. Il avait exigé beaucoup, ayant besoin de fonds pour monter une agence. Nous voici arrivés.

Nous fûmes accueillis par le policier muet, celui qui accompagnait Bernier lors de sa visite à l'hôpital. Depuis, il avait dû retrouver sa langue, car il nous dit :

— Voulez-vous me suivre ? Nous avons déposé le corps à la station.

Le mort était allongé sur une planche de sapin. C'était un homme jeune, bien découplé, revêtu d'un costume de bonne coupe, pour autant que son séjour dans l'eau permettait d'en juger. Ses cheveux collaient à son front. Son visage offrait l'aspect caractéristique des morts par submersion.

Tandis que les employés de l'identité judiciaire le photographiaient sous tous les angles, relevaient ses empreintes et que le docteur s'apprêtait à l'examiner sommairement, le commissaire me dit :

— Vous reconnaissez votre assaillant ?

— Il a un peu changé depuis hier, répondis-je, mais c'est incontestablement lui.

— L'aviez-vous déjà vu ?

— Pas avant qu'il ne s'intéressât à moi.

En chantonnant, le photographe prévint qu'il avait fini. Il rangea ses ustensiles et céda la place au docteur.

Nous regardâmes en silence l'homme de l'art procéder à son examen. Le commissaire gardait au coin des lèvres son mégot éteint. Quant à moi, je fumais pipe sur pipe. Enfin, le docteur se redressa. Cause de la mort, durée du séjour dans l'eau, etc., il ne nous apprit rien de sensationnel.

— Une forte ecchymose au menton, dit-il. Un maître coup de poing vraisemblablement.

Le policier se tourna vers moi.

— Sans doute votre œuvre ? fit-il.

— Sans doute.

Le docteur me toisa, papillota des yeux, mais ne dit rien. Il boucla sa trousse et s'en fut.

— Qu'on me fouille ce client, ordonna alors le commissaire.

Un de ses hommes s'avança, avec répugnance, et dès qu'il eut porté la main sur les habits du mort commença à maugréer. C'était bougrement froid, remarqua-t-il avec une rare originalité. Successivement, il sortit des poches du cadavre : un paquet de cigarettes entamé, un mouchoir, une paire de gants, un portefeuille, un porte-monnaie, un crayon, un stylo, une montre, un briquet, un tube de pierres Auer et un trousseau de clefs. Tout cela, sauf le métal, en assez triste état, bien entendu.

Bernier s'empara du portefeuille et l'ouvrit. Il contenait un livret militaire au nom de Paul Carhaix, des prospectus de publicité d'un médecin spécial, une quittance de loyer, quatre billets de cent francs et...

— Je n'ai peut-être pas tout à fait perdu mon temps

en faisant surveiller votre Lafalaise, siffla-t-il. Voyez un peu où travaillait votre agresseur.

Il brandit la carte professionnelle de Carhaix.

— Pas étonnant qu'il fût si bien renseigné, dis-je.

— Tu parles. Surtout si c'est son patron qui lui a glissé le tuyau...

— Cela m'étonnerait, fis-je en secouant la tête.

Il haussa les épaules.

— C'est égal, ricana-t-il, depuis quelques jours on fait une rude consommation de policiers privés. A votre place, je ferais gaffe.

— Mais je fais gaffe, répliquai-je. Et c'est grâce à ma vigilance que ce Paul Carhaix est ici.

Après avoir noté l'adresse inscrite sur la quittance de loyer, il rangea le portefeuille qui ne contenait rien d'autre.

— Allons visiter son domicile, dit-il. Une de ces clefs doit nous ouvrir sa porte. Si le cœur vous en dit...

Le cœur ne m'en disait pas, mais décliner une pareille offre eût, à juste titre, paru suspect. J'acceptai la proposition. Je me calai entre deux inspecteurs qui attendaient déjà dans la voiture et nous partîmes.

J'eus un léger frisson lorsqu'un policier introduisit la clef dans la serrure. Allait-il s'apercevoir qu'elle avait été crochetée ? Le travail de Marc était d'une qualité supérieure. L'homme ne remarqua rien... et je réfléchis alors que cela était sans importance.

L'appartement de Paul Carhaix était dans l'état où nous l'avions laissé. Je feignis de m'intéresser prodigieusement aux recherches des argousins, en riant sous cape. Ne trouvant rien de palpitant, Bernier commençait à perdre de sa bonne humeur, lorsqu'il remarqua soudain quelque chose qui m'avait échappé la nuit précédente.

— C'est un camelot, ce gars-là, tonna-t-il.

Il souleva la valise de la garde-robe et répandit sur le paquet une quantité impressionnante de gants.

— Des gants d'hiver, des gants d'été, grogna-t-il. Hum... Des gants pour toutes saisons... Cela peut donner à penser...

— C'était indiscutablement un type prudent, dis-je d'un ton entendu. Avez-vous remarqué la sobriété du contenu de son portefeuille ? Juste le strict nécessaire et pas un papier inutile...

— ... Ou dangereux, hein ?

— Et cet appartement, propre et net, témoigne de cet ordre et de cette prudence.

— Ouais. Mais les plus prudents oublient parfois quelque chose qui les conduit à l'échafaud.

— Oh ! fis-je, faussement indigné, vous n'oseriez pas faire guillotiner un cadavre ?

— C'était une image.

A ce moment, sans doute pour confirmer la théorie du commissaire sur les fâcheux oublis dont sont victimes les criminels les plus astucieux, le policier qui farfouillait dans la cuisine poussa une exclamation et appela son chef.

Il tenait délicatement entre deux doigts le revolver qu'il venait de dénicher dans la vieille chaussure.

— Eh bien ! claironna Bernier. Que vous disais-je ?

Il se pencha sur l'arme sans la saisir, la dévora des yeux et la flaira. On eût juré un chien indécis devant un os pas très catholique. Il ne dit rien puis, soudain, il nous prit tous à témoin d'un geste éloquent. Sa couperose s'était avivée. Cet instrument paraissait l'intéresser au plus haut point.

— C'est un pétard étranger, dit-il enfin. Automatique. Muni d'un silencieux. Calibre .32, selon toute apparence.

— Cela vous donne une idée ? dis-je.

— La même qu'à vous.

Je me défendis comme un beau diable. Je n'avais pas d'idée. Sans plus m'écouter, ils continuèrent les recherches, après que le commissaire, s'étant enfin résolu à s'emparer du revolver, l'eut douillettement enveloppé dans un mouchoir et déposé au fond d'une boîte. La langue me démangeait 'de leur dire qu'ils ne trouveraient plus rien, mais je ne pouvais décemment le faire. J'attendis donc avec patience qu'ils se fussent convaincus que la seule trouvaille que leur réservait ce logement était ce pistolet. Quand ils en furent persuadés, nous regagnâmes la voiture.

Le commissaire me tendit la main. C'était me faire clairement comprendre qu'il m'avait assez vu. Ses paroles confirmèrent mon impression.

— Je vous remercie d'avoir bien voulu identifier votre... hum... victime, dit-il, et accompagné jusqu'ici. Mais il me reste un tas de choses à faire et je ne puis vous autoriser à me suivre dans tous les détours de mon enquête. Laissez-moi un numéro de téléphone que je puisse vous avertir si j'avais besoin de vous.

— Bon, répondis-je, mais ne me laissez pas ainsi tomber. Les taxis sont rares. Déposez-moi place Bellecour. C'est sur votre chemin.

Il fit droit à ma requête et dix minutes plus tard j'étais au *Bar du Passage*. Si j'en avais jadis été expulsé pour impécuniosité, on devrait reconnaître loyalement que je faisais tout pour réparer et faire oublier cet incident de jeunesse. L'endroit était quasi désert. Je me mis dans un coin et commandai un demi.

L'heure apéritive apporta son contingent habituel de buveurs. Marc Covet était du nombre. Je le mis au courant des derniers événements, avant de nous lancer dans une conversation à bâtons rompus, absolument dénuée d'intérêt, que nous interrompîmes pour aller nous sustenter. Le dessert expédié, le *Bar du Passage* nous revit. A dix heures, la sonnerie du téléphone réveilla le garçon. Poussiéreux, mais moins nonchalant qu'à l'accoutumée, ce digne homme s'approcha de notre table. Son attitude était nettement soupçonneuse.

— Lequel... hum... monsieur Nestor Burma?

demanda-t-il, presque à voix basse et en avalant
difficilement sa salive. C'est un po... c'est un com...

Il ne parvenait pas à le dire. Je le laissai à son
trouble, me fis indiquer l'endroit par Marc et me
meurtris l'oreille tellement j'y portai le combiné avec
violence.

— Allô ! Ici Nestor Burma.

— Ici commissaire Bernier, dit une voix joyeuse. Je
ne sais à quoi vous avez passé votre temps depuis que
nous nous sommes quittés, mais je n'ai pas perdu le
mien. Le mystère est éclairci et le point final mis à
l'affaire... ou presque. Voulez-vous venir ? Je me sens
l'esprit discoureur. Le poêle est rouge et j'ai du faux
café à mettre dessus.

— J'arrive tout de suite, dis-je.

Et je raccrochai.

Dans le petit bureau sombre de ce quai de Saône, le
commissaire Bernier m'attendait. Il m'attendait comme
en embuscade, derrière un rideau de fumée grise et
dans une atmosphère plutôt lourde. Dans un coin, un
poêle rond rougissait. Sur celui-ci, le contenu d'une
casserole bouillait, répandant un fumet bizarre. Pour
du faux café, c'était du faux café.

Je m'ébrouai. Dehors, le froid s'accentuait. Pas de
brouillard, mais un méchant petit crachin pénétrant.
Ma foi, cette ville devenait de plus en plus hospitalière.

— Asseyez-vous, dit le commissaire, jovial, quand je
fis mon apparition. Cette affaire tire à sa fin et nous
pourrons bientôt nous livrer aux joies sans mélange de
la partie de poker projetée. En attendant, nous allons
regarder des images, comme deux enfants bien sages.
Je vous garantis que j'ai bien gagné cet instant de
délassement.

Il versa le café, le sucra luxueusement avec du vrai
sucre et alluma une cigarette. Après avoir épaissi

davantage l'atmosphère par l'addition de deux larges
bouffées de fumée, il ouvrit un tiroir et me présenta un
revolver muni d'une étiquette.

C'était le fameux outil trouvé au domicile de mon
agresseur. Une légère couche de céruse pulvérisée,
destinée à la révélation des empreintes, subsistait par
endroits.

— Vous pouvez le manipuler carrément, dit Bernier.
Il était propre comme un sou neuf. Pas la moindre
marque de doigts. Essuyé, évidemment, avant d'être
rangé. Quel type soigneux !... Nous avons toutefois
relevé de légères traces de gants... les siens, sans doute,
mais d'aucun secours et, dans l'état actuel de notre
enquête, d'aucun intérêt. Que pensez-vous de cet
instrument ?

— Et vous ?

— Excusez-moi si je me répète, mais : pistolet
automatique de marque étrangère, calibre .32, récita-t-
il. Les balles qu'il tire sont identiques à celles dont a été
farci votre collaborateur. Voici quelques édifiantes
photos. Ce sont, d'abord, celles des projectiles extraits
du corps de Colomer et roulés sur une feuille d'étain,
de sorte que s'y marque l'empreinte de toutes les stries
existant à leur surface. A côté, vous avez l'image,
obtenue par le même procédé, d'une balle tirée aujour-
d'hui, dans notre laboratoire, à l'aide de cette arme.
Vous pouvez vous assurer que les caractéristiques sont
les mêmes ; les stries identiques ; les particularités
semblables.

— Aucune erreur possible ?

— Ne vous moquez pas de moi en posant des
questions stupides. Aucune erreur possible. L'identification est aussi précise que pour les empreintes digitales. Nous possédons ici le meilleur laboratoire de
police technique. Son verdict est formel : cette arme est
celle dont on s'est servi pour dégringoler votre ami.
Entre nous... depuis la découverte de ce joujou dans la

cuisine de votre client, vous vous en doutiez un peu, hein ?

— Oh ! protestai-je. Qu'est-ce qui aurait pu m'y faire songer ? Le calibre ? Il n'y a pas qu'un revolver de .32 au monde.

— Il est vrai. Vous ignoriez certaines particularités. Par exemple, que les balles que nous avons trouvées *dans* Colomer étaient celles d'un type particulier d'arme de fabrication étrangère. C'est d'ailleurs cela qui nous avait aiguillés sur la fausse piste du crime politique dont je crois vous avoir touché deux mots...

— En effet.

— Légèreté de ma part, je le confesse humblement. J'aurais dû songer que des internationaux comme Jo Tour Eiffel et sa clique ne se servaient pas d'autres armes.

— Jo Tour Eiffel ?

— C'est vrai, vous ne connaissez pas le plus beau. Selon vous, comment se nommait votre agresseur ?

— Cessez de me faire marcher, Lyon a beau être la capitale du spiritisme, je ne crois pas que les défunts s'y donnent rendez-vous pour jouer du pétard.

— Non, Jo n'est pas l'assassin de Colomer, si c'est ce que vous voulez dire. L'assassin de Colomer... et le vôtre, si j'ose dire, est un certain Paul Carhaix, du moins si nous en croyons le livret militaire trouvé en sa possession. Mais j'aime mieux ajouter foi à ces petits dessins... on les maquille plus difficilement.

Il choisit deux autres photos dans sa collection.

— Continuons à compulser l'album de famille, ricana-t-il. Numéro deux : ce sont les empreintes relevées sur ce cadavre, ce soi-disant Carhaix. Numéro un : la fiche dactyloscopique d'un nommé Paul Jalome. Une vieille connaissance de notre Parquet, entre autres, à la carte de visite impressionnante : évadé de centrale, interdit de séjour, relégable et... ancien affilié de la bande à Georges Parry, d'abord, de Villebrun ensuite. Ce sont les mêmes. Cela ne vous aveugle pas ?

Je fis claquer mes doigts de surprise. Il ne me laissa pas le temps de répondre autrement et poursuivit :

— Colomer avait dû le repérer comme ancien complice du voleur de perles (souvenez-vous de la collection de coupures de presse de votre assistant). Mais je ne crois pas que ce soit seulement pour cela qu'il ait été supprimé. Jalome aurait aussi bien pu tenter de fuir. Après tout, les moyens de Colomer étaient limités. Non, il y a autre chose. Il y a que ce Paul est aussi un ancien complice de Villebrun, depuis peu sorti de prison et, selon nous, susceptible de se venger. Quoi de plus simple pour ce pilleur de banques que d'armer le bras de son ex-séide qui, en exerçant la vengeance de son chef, fait disparaître, du même coup, un témoin gênant pour lui-même ? Vous m'objecterez que c'est là, pour notre homme, raisonner un peu à la manière de Gribouille ? Je vous répondrai que les Gribouille sont légion dans le monde criminel et que vous le savez aussi bien que moi.

— Exact. Toutefois, pourquoi ce criminel, qui s'est servi d'une arme à feu en pleine gare de Perrache, n'a-t-il usé contre moi que de ses poings ? Encore Gribouille ?

— Le bruit, monsieur Burma, le bruit...

Il reprit le revolver.

— ... Le dispositif que vous voyez là est un silencieux Hornby. Il offre l'avantage d'atténuer le bruit et la flamme de la détonation. Suffisamment pour qu'on puisse se servir de l'arme à laquelle il est adapté dans le brouhaha d'une gare, surtout si un orchestre y fait retentir des hymnes martiaux, pas assez toutefois pour être utilisé sans danger au milieu du silence nocturne. Maintenant, à ne rien vous cacher, je ne crois pas que Carhaix-Jalome ait choisi spécialement Perrache comme lieu idéal d'assassinat. Selon moi, il suivait Colomer et ne l'a abattu que forcé. C'est-à-dire lors-que, votre assistant se précipitant vers vous en criant

votre nom, il a craint des révélations et a joué son va-
tout.

— Mais que faisait Bob à la gare ?

Bernier tapota la table d'une main impatientée.

— L'enquête ne l'a-t-elle pas suffisamment établi ? Il
fuyait. Il s'était attaqué à un trop gros gibier. Jalome
tout seul, cela allait. Epaulé de Villebrun, le morceau
était dur. Colomer a dû maladroitement dévoiler ses
batteries et il estimait que le seul moyen de s'en tirer à
bon compte était la fuite ; sinon définitive, du moins
temporaire.

— D'où Jalome m'a-t-il téléphoné ? demandai-je.

— Pas de l'Agence Lafalaise, comme je le craignais.
Entre parenthèses, nos découvertes mettent hors de
cause votre confrère...

— Je me doutais bien que vous vous embarquiez sur
une fausse piste. D'où m'a-t-il téléphoné ?

— D'un appartement inhabité, proche le lieu de son
travail, dont les locataires se sont absentés pour quelques jours seulement, ce qui n'a pas nécessité la mise en
sommeil de leur ligne. Vous savez, pour en avoir fait
certainement l'expérience, qu'on ne peut téléphoner
d'une cabine publique qu'en produisant des pièces
d'identité. Jalome ne l'ignorait pas davantage et ne
pouvait courir ce risque. Et comme c'était un garçon
méticuleux, il avait dû repérer ce logement vacant au
cas où il aurait à se servir secrètement d'un appareil.
Nous avons relevé de légères traces d'effraction sur la
serrure de cet endroit. Ce type était un as.

Je le laissai déguster à loisir mon admiration, puis :

— Alors, tout est clair ?

— Mais oui... tout est clair.

Il plongea dans une autre admiration : la sienne
propre. Le fait est qu'il s'était diablement démené au
cours de cette journée.

— Et l'action de la Justice est éteinte, comme on
dit ?

Il siffla, méchamment.

— En ce qui concerne Carhaix-Jalome, oui. Mais nous recherchons toujours Villebrun, le libéré fantôme. Depuis que nous sommes assurés qu'il est l'instigateur de cet assassinat, nous faisons interroger son ex-complice, le voleur de sacs à main. Il a, sans rechignement excessif, reconnu en Jalome un de ses vieux aminches. Mais depuis, bouche cousue. Il se borne à répéter qu'il ignore tout de son ancien patron. (Il regarda sa montre et émit un désagréable rire gras.) Il n'est pas encore très tard ; la nuit porte conseil ; peut-être se décidera-t-il à parler demain matin. Encore un peu de café ?

— Oui. Et si cela ne vous gêne pas, un sucre entier.

Il s'exécuta de bonne grâce, en sifflotant faux une scie de music-hall. Il offrait le consolant spectacle d'un homme heureux et satisfait. Pour rien au monde, je n'eusse voulu ternir une telle euphorie.

Je m'éveillai à l'hôpital, après quelques heures de sommeil agité auquel était étranger le faux café du commissaire.

Le matin, en quittant les locaux de la police, je n'avais pas osé déranger Marc, et Bernier avait obligeamment proposé de m'accompagner. Malgré sa présence, un type avait grogné que j'étais un drôle de malade.

Maintenant, je m'apprêtais à confirmer ce point de vue en disparaissant encore, lorsque mon infirmière m'informa qu'on me demandait d'urgence au bureau.

— Ce n'est pas pour vous passer un savon, ajouta-t-elle, voyant que j'hésitais sur la conduite à tenir.

Comme cette femme était incapable de mentir, je m'en fus au bureau. Un vague gradé m'y attendait. Au mépris de toute hygiène, il mâchonnait un porte-plume.

— Z'êtes guéri, n'est-ce pas ? dit-il.

— Oui.

— Z'habitez Paris ?

— Oui.

— Préparez votre paquetage. Y retournerez ce soir.
Un train spécial de rapatriés regagnant leurs foyers
avec le visa des autorités allemandes passe à Lyon cette
nuit. Vous le prenez. Voici vos feuilles de démobilisation et deux cents francs.

— C'est que...

— Quoi donc ? Ne me dites surtout pas que cet
établissement vous plaît, hein ? On vous y a peut-être
vu deux heures en tout.

J'expliquai que ce n'était pas tant l'établissement que
la ville. Ne pouvait-on retarder mon départ ? J'avais pas
mal de choses à faire. Il me répondit hargneusement
qu'il n'avait pas pour fonction de favoriser les amou-
rettes, que si je voulais rester à Lyon, j'aurais dû m'y
prendre plus tôt, qu'on ne pouvait pas deviner ce que je
désirais, pas plus d'ailleurs que refaire tous les papiers
uniquement pour m'être agréable. Si Lyon me plaisait
tant, je n'aurais, une fois dans mes foyers, qu'à
solliciter un laissez-passer pour y revenir.

— Votre train est à vingt-deux heures, dit-il en
coupant court.

C'était me faire comprendre l'irrévocabilité de cette
décision bureaucratique et l'inanité de toute protestation.

Je me dirigeai vers un bureau de poste, décidé à faire
jouer mes relations pour ajourner mon départ.

Après avoir exhibé mes papiers et demandé le
numéro du commissaire Bernier, je fis annuler la
communication. Je venais de réfléchir qu'à tout prendre, j'avais pas mal de choses à faire en zone occupée et
qu'autant valait regagner Paris.

Je m'en fus annoncer la nouvelle à Marc Covet et il
me fallut lui conter par le menu mon entretien avec
Bernier. J'eus un mal de chien à l'empêcher d'écrire un
article. Je lui promis d'autres tuyaux pour le soir même.

Je passai une bonne partie de la journée à fréquenter
certains garçons de bars qui se livraient à de fructueux
trafics. Je cherchais des Philip Morris pour offrir à
maître Montbrison. Il avait été chic avec moi et je
voulais lui témoigner ma reconnaissance par un cadeau.
Nulle part, je ne trouvai ses cigarettes favorites. Je me
rabattis sur des cigares. Il n'usait pas de ce poison mais
il sut l'accepter gentiment. A lui aussi, je devais un récit
de l'affaire. Il me dit une bonne vingtaine de fois que
c'était formidable.

— J'espère vous voir à Paris, souhaitai-je en le
quittant.

— Certainement. Mais quand ? Je n'ai pas encore
mon laissez-passer. Cela n'en finit pas. Je connais bien
quelques policiers, mais ils appartiennent au *vulgum
pecus*. Ils n'ont aucune influence. Et ça traîne, ça
traîne…

— En effet. Je fais bien de profiter du train spécial.
Ma dernière visite fut pour Gérard Lafalaise.

— Quittez cet air embarrassé, dis-je à Louise Brel,
en lui tendant une main sans rancune. Je ne suis pas un
ogre.

La paix conclue, je fis, à huis clos, mes adieux à son
patron. De chez lui, je téléphonai au commissaire.

— Nous ne ferons pas un pok de sitôt. D'ordre des
militaires encore en exercice, je regagne Paris cette
nuit. Vous n'avez pas besoin de moi ?

— Non.

— Rien de neuf du côté du voleur à la tire ?

— On a dû suspendre l'interrogatoire.

— Sans blague ? Sur l'avis de la Faculté, sans doute ?
Sapristi, ne le tuez pas.

— De pareils zigotos ont la vie dure. Bon voyage !

A vingt et une heures trente, j'arpentais le quai
luisant d'humidité de la voie douze en compagnie de
Marc. Le rédacteur au *Crépuscule*, que j'avais gavé de
promesses à plus ou moins longue échéance, était
silencieux. Le vent glacé, précurseur de neige, qui

s'engouffrait sous la verrière monumentale, ne rendait pas l'attente folâtre. Le buffet, mal éclairé, mal chauffé, mal approvisionné, ne nous tentait ni l'un ni l'autre. Nous marchions, sans mot dire, enfoncés dans nos pardessus.

Bientôt, le train spécial entra en gare. L'arrêt était de deux minutes. Je pris place et parvins à me caser sans trop de mal.

— Au revoir, dit Marc. Ne m'oubliez pas dans vos prières.

DEUXIÈME PARTIE

PARIS

CHAPITRE PREMIER

REPRISE DE CONTACT

Atteindre la porte de mon domicile et la pousser ne fut pas un mince travail. Avertie de l'heure exacte de mon retour par un sixième sens, ma concierge m'attendait au pied de l'escalier. Elle me remit un paquet de lettres qui moisissaient dans sa loge depuis la fin de la « drôle de guerre », m'informa qu'elle avait fait le nécessaire en ce qui concernait l'électricité et la remise en état de fonctionnement du téléphone, etc. Force me fut ensuite d'échanger avec elle les banalités habituelles sur la captivité. Quand ce fut fait, je gravis mes trois étages d'un bond.

Je repris contact avec mon appartement plus aisément que je n'aurais cru. Je me débarbouillai, me rasai, donnai l'accolade à une vieille bouteille, fidèle amie qui m'attendait sous le lit depuis septembre 39 et me servis du téléphone.

En manœuvrant le cadran de l'automatique, je songeai qu'il était agréable de se livrer à cette opération sans avoir à exhiber un acte de naissance. Une voix interrompit ces réflexions par un impersonnel « Allô ! ».

Je dis que je voulais parler à M. Faroux. On me répondit qu'il n'était pas là, que s'il y avait une commission à lui faire on voulait bien s'en charger. Je priai la téléphoniste d'informer l'inspecteur que Nestor

Burma était de retour. Je donnai mon numéro d'appel.
Je n'avais pas dormi durant le voyage. Je me couchai.

Le lendemain matin, j'achetai une brassée de journaux et de revues. Toutes sortes de revues : politiques,
littéraires et même de modes et de beauté. Je manifeste
un certain faible pour ce dernier genre de charmante
publication.

Je passai la matinée à lire, dans l'attente d'un coup de
fil de Faroux. Coup de fil qui ne vint pas.

La lecture d'*Elégance, Beauté, Monde* m'apprit que
le docteur Hubert Dorcières avait été également libéré.
On lui avait fait grâce de toutes les chinoiseries
inhérentes à la démobilisation du vulgaire et il était à
Paris depuis plusieurs jours. Le Studio E.B.M. était
heureux d'informer son élégante clientèle que l'éminent chirurgien, etc. Incidemment, la luxueuse revue
donnait l'adresse de Dorcières. Je la notai... J'avais
égaré celle de la femme de Desiles. Peut-être pourrait-il
me la rappeler.

Je parcourus encore la politique générale, la politique particulière, la guerre, la rubrique du marché noir,
les petites annonces, à la recherche de celle que
j'attends depuis vingt ans (*Maître Tartempion, notaire à
Bouzigues, prie M. Burma (Nestor) de se mettre d'urgence en rapport avec son étude au sujet de la succession
d'un oncle d'Amérique*), bien entendu, ne la trouvai pas
et fis un paquet de toute cette paperasse. Il était midi.

J'endossai un de mes chers vieux complets prince-de-
Galles (excentrique mais pas zazou), m'en fus déjeuner, rentrai, pris connaissance du courrier périmé. A
deux heures, la sonnerie du téléphone retentit. Ce
n'était pas Florimond Faroux, mais la voix lointaine de
Gérard Lafalaise.

— Notre ami a été victime d'un léger accident qui
l'immobilisera pendant quelques jours, dit-il. Il a été

renversé par une des rares voitures qui circulent encore.

— Ce n'est pas de la frime ?

— Non. Je vous téléphonerai lorsqu'il ira mieux. Mes relations me le permettent... à condition que ce ne soit pas trop souvent.

— C'est cela, Merci. Je vais pouvoir reprendre des forces.

Je n'abandonnai pas l'appareil et appelai la Tour Pointue.

— Je désirerais parler à M. Faroux, dis-je.

On me demanda d'un ton neutre de la part de qui. Je dis mon nom. On me pria de ne pas quitter. J'attendis une minute et la voix de mon ami me parvint, sifflant à travers ses moustaches.

— Vous avez de la veine, dit-il. Je rentre tout juste et j'allais repartir... sans avoir le temps de vous téléphoner. Oui, oui, on m'avait transmis votre message...

— Où peut-on se voir dans... mettons une heure ?

— Oh ! impossible, mon vieux. Pas avant ce soir. J'ai un boulot fou. Pas une minute de répit. Ce n'est pas pressé ?

— Cela dépend de vous. J'espère que vous avez reçu ma lettre relative à la rue de Lyon.

— Oui.

— Rien de neuf de ce côté-là ?

— Rien. Je vous dirai même que...

— Alors, ça va. Je peux attendre. Je vais en profiter pour aller au cinéma. Prenons rendez-vous, voulez-vous ? A neuf heures chez moi, par exemple. C'est discret. Ça gaze ? Oui, c'est chauffé. Radiateur électrique que je branche sur le compteur du voisin.

— Entendu. La captivité vous a transformé, on dirait. Vous me paraissez bien bavard.

— Moi ? Allons donc. En tout cas, ce ne sera pas, un jour prochain, l'avis du commissaire Bernier.

— Commissaire Bernier ? Qui est-ce ?

— Un de vos collègues lyonnais qui envie le sort des
chômeurs. Il est en train de faire tout ce qu'il peut pour
décrocher prématurément sa retraite.

— Et vous le laissez patauger ?

— Comment donc. Vous savez bien que je déteste
les policiers.

— Je crois qu'il vaut mieux que je raccroche, hein ?
dit-il en plaisantant. Si un de mes supérieurs surprenait
cette conversation... A ce soir.

— A ce soir, petit prudent.

J'avais l'après-midi de libre. J'en profitai pour effectuer quelques visites aux domiciles de mes anciens
agents. J'appris ainsi que Roger Zavatter était lui aussi
prisonnier ; que, moins chanceux, Jules Leblanc était
mort et qu'enfin, tenant le milieu entre ces deux braves
garçons, Louis Reboul avait perdu le bras droit dès les
premiers engagements de la « drôle de guerre », au
cours d'une rencontre de corps francs sur la ligne
Maginot.

Nous nous revîmes avec émotion. Je ne lui parlai pas
de la mort de Bob Colomer, réservant ce sujet de
conversation pour un autre jour et je quittai le mutilé,
lui promettant de lui confier quelques petites missions,
le cas échéant.

A deux pas de là, un cinéma permanent affichait
Tempête, avec Michèle Hogan. J'entrai. Cela ne pouvait pas me faire de mal.

— Bonjour, mon vieux, dis-je à Florimond Faroux,
dès qu'il eut posé sa chaussure réglementaire sur le
tapis de mon entrée. Je sais que dehors il fait froid,
qu'on n'a pas beaucoup de charbon pour se chauffer et
que nous avons perdu la guerre. Prévenant vos questions et ce, afin d'éviter les conversations oiseuses, je
vous dirai que j'étais en captivité à Sandbostel où j'ai
fait une cure de pommes de terre. Ce n'était pas plus

moche qu'à la Santé. A propos de santé, j'espère que la
vôtre est égale à la mienne. Ça va, comme cela ? Bon.
Alors, asseyez-vous et tapez-vous ce coup de rouquin.

L'inspecteur Florimond Faroux, de la P.J., courait
vers la quarantaine avec plus de rapidité qu'il n'en avait
jamais mis à pourchasser les voleurs. Ce n'était pas peu
dire. Il était bien bâti, plutôt grand, osseux. Sa moustache grise l'avait fait surnommer « Grand-père » par
ses jeunes collègues. Il portait, en toute saison, un
chapeau chocolat qui lui allait... cela faisait peur. Il
n'avait jamais pu s'adapter à ma tournure d'esprit. Cela
ne l'empêchait pas d'émailler nos conversations de
fugitifs éclats de rire, tombant à contretemps, encore
qu'ils eussent la prétention de faire écho à quelqu'une
de mes saillies. Au demeurant, c'était un bon bougre,
serviable et paternel... grand-paternel, si l'on veut.

Il écouta mon énumération de lieux communs d'un
air désapprobateur, eut un haussement d'épaules significatif, s'assit, ôta son chapeau, le posa sur une chaise et
trempa sa moustache dans le verre de vin.

— Et maintenant, dis-je, après avoir bourré et
allumé ma pipe, dites-moi un peu ce que vous avez fait
pour moi.

Il toussa.

— Quand on travaille avec vous, dit-il, il faut
apprendre à ne pas s'étonner des consignes abracada-
brantes. Mais... tout de même, votre ancienne secrétaire...

— Eh bien quoi, mon ancienne secrétaire ? C'est une
femme comme les autres. Elle peut mal tourner du jour
au lendemain.

— Oh ! bien sûr... N'empêche que ça m'a paru un
peu fort de café.

— J'espère que vous ne vous êtes pas autorisé de
cette opinion pour ne rien faire ?

Il éleva la main en signe de protestation.

— J'ai établi un vague rapport, dit-il. Plutôt maigre.

Il fit une incursion dans sa vaste poche et en retira

deux feuilles dactylographiées. Je les lus avec une exaspération croissante.

Ce « vague » rapport était très précis. Filée depuis deux jours, Hélène Chatelain ne donnait prise à aucune critique. Ses faits et gestes étaient normaux. Elle partait le matin de chez elle à huit heures trente, se rendait directement à l'Agence de Presse Lectout, en sortait à midi, mangeait au restaurant, reprenait son travail à deux heures, finissait à six et rentrait chez elle. Il résultait de l'enquête à laquelle s'était livré Faroux qu'elle ne sortait pas le soir, sauf le jeudi, jour du cinéma. Elle passait le samedi après-midi, le samedi soir et le dimanche chez sa mère. Elle ne s'était jamais absentée depuis le retour d'exode.

M'étais-je embarqué sur une fausse piste ?

Il ne fallait rien négliger, comme avait coutume de dire, en pontifiant, mon ami le commissaire Bernier, l'homme qui négligeait tant de choses, justement, et c'est pourquoi j'avais fait surveiller Hélène Chatelain.

Et ces policiers, qui connaissaient tout de même leur métier, auxquels nulle attitude louche ne pouvait échapper, soupçonneux de profession et par nature, venaient me dire que la conduite de cette jeune fille ne prêtait à aucune équivoque ? C'était décourageant... ou alors Hélène était plus forte que je ne l'avais jamais supposé. Je me promis d'avoir une entrevue avec elle.

Faroux me tira de mes pensées en me demandant si cela allait et s'il fallait continuer la surveillance. Je répondis oui aux deux questions.

Je lui mis sous le nez la photo de l'amnésique.

— Connaîtriez-vous ce type, par hasard ? demandai-je.

La vue de la pancarte sur la poitrine, portant le numéro matricule, le fit rire.

— Ha, ha, ha ! Là-bas aussi, vous aviez un service anthropométrique ?

— Je vous dirai un jour tout ce que nous avions, là-bas. Vous serez éberlué. En attendant, que pensez-vous de cette tête ?

Il me rendit la photo.

— Rien.

— Jamais vue ?

— Non.

Je n'insistai pas et lui passai le second document.

— Voici les empreintes des dix doigts d'un type. J'aimerais que vous regardiez dans vos sommiers si elles n'y figurent pas déjà.

— C'est le même ?

— Le même quoi ?

— Le même individu. Le portrait et la fiche.

— Non, dis-je, par besoin maladif de mentir. C'est un autre. Et c'est très sérieux. J'aimerais avoir la réponse assez rapidement.

— Bon sang, gémit-il, en pliant soigneusement la feuille des empreintes et l'insérant dans son porte-feuille, bon sang, vous êtes toujours pressé. Je ferai mon possible... Actuellement, nous sommes submergés de boulot...

— Personne ne vous demande de procéder à l'identification vous-même. Du moment que vous ne dites pas au fonctionnaire du service de qui vous tenez cette fiche, cela me suffit. Autre chose...

J'ouvris un tiroir et exhibai un parabellum, mignon comme un ange.

— Il me faudrait un port d'arme pour cet ustensile. Il a peur, ici. Il ne se sent vraiment en sécurité que dans ma poche.

— Bon.

— Et je voudrais aussi un permis pour circuler la nuit. Je peux en avoir besoin.

— C'est tout ?

— Oui. Vous pouvez disposer.

— J'allais vous en demander la permission, dit-il en se versant du vin. Il se fait tard.

Il vida son verre d'un trait, s'essuya la moustache. Il

s'arrêta court dans le mouvement qu'il fit pour se lever...

— Je voulais vous demander, Burma... Le commissaire Bernier dont vous m'avez parlé tantôt, est-ce le commissaire Armand Bernier ?

— Peut-être. Je n'ai jamais su son prénom. Mais Armand lui convient très bien.

Faroux me détailla un signalement qui faisait honneur à ses capacités professionnelles.

— C'est cela, approuvai-je. De plus, il est couperosé, élégant (quand il abandonne son imperméable) et gaffeur.

Faroux se mit à rire.

— Armand Bernier. Je l'ai connu jadis, lorsqu'il était à Paris...

Dans l'espoir de me tirer les vers du nez, il me parla du commissaire pendant un bon quart d'heure.

CHAPITRE II

IDENTIFICATION
DE L'AMNÉSIQUE

La pendule sonna neuf heures. J'attendis une dizaine de minutes, attrapai le téléphone et composai le numéro de l'Agence de Presse Lectout.

A ma demande :

— Mademoiselle Chatelain est-elle là ?

On me répondit :

— Non, monsieur. Mlle Chatelain s'était excusée. Elle ne viendrait pas travailler de plusieurs jours. La grippe.

Je passai mon pardessus, ajustai mon chapeau et descendis dans le matin froid prendre le métro. Je n'en sortis que lorsque je jugeai qu'il faisait plein jour à la surface.

Avant de sonner à la porte de l'appartement de mon ex-secrétaire, je collai mon oreille à la serrure. Ce procédé inélégant, que l'on chercherait vainement dans *l'Art de se bien conduire,* du maître Paul Robot, m'a parfois rendu de réels services. Je dois avouer que le talent de la plupart de mes confrères ne dépasse pas cette habitude ancillaire. Mais, cette fois-ci, j'en fus pour mes frais. N'entendant rien, j'appuyai mon doigt sur la sonnette.

— Qui est là ? demanda une voix rauque, entre deux reniflements.

— C'est moi, répondis-je. Nestor Burma.

Une exclamation étouffée.

— Burma ? Vous, patron ? Un moment.

L'instant d'après, la porte s'ouvrit.

Emmitouflée dans une robe de chambre passée sur son pyjama et hermétiquement ajustée, les pieds nus dans des mules dépareillées, la chevelure en désordre, pas maquillée et se tamponnant le nez rougi d'un minuscule mouchoir roulé en boule, Hélène Chatelain était moins attrayante que lorsqu'elle faisait brunir son harmonieuse académie au soleil de Cannes.

Mais son corps exhalait le même troublant mélange de chypre et de poudre parfumée, son visage n'avait rien perdu de sa joliesse, en dépit du manque d'artifices et, sous les fins sourcils noirs, ses grands yeux gris exprimaient une joie flatteuse de me revoir.

— Entrez, invita-t-elle. Il n'y a que vous pour réserver de pareilles surprises. Je ne vous embrasse pas, mais le cœur y est.

— Vous craignez de me communiquer votre rhume ?

— Mon Dieu, c'est tellement visible ? s'alarma-t-elle. Non, mais ce ne serait pas convenable. Surtout que je vous reçois dans ma chambre...

— C'est très gentil à vous...

— ... Parce que c'est la seule pièce de l'appartement où il fasse chaud. Ne vous méprenez pas, patron.

En riant, elle m'avança une chaise, répara le désordre du lit, s'y allongea sous une couverture. Sur un tabouret bas, à portée de la main, des médicaments voisinaient avec un réchaud électrique supportant une théière. Ce n'était pas une maladie diplomatique qui retenait Hélène à la chambre. Le son de voix enchifrenée qu'elle conserva tout le temps de notre entretien en fut un témoignage supplémentaire.

— Vous prendrez un peu de thé ? proposa-t-elle. C'est du vrai et j'ai un peu de rhum. Par exemple, vous vous servirez.

J'acceptai. Elle se moucha discrètement, puis :

— Venez-vous me chercher pour traquer un escroc septuagénaire ?

Elle était gaie et maître de soi, pas le moins du monde inquiète. Je me mis à rire.

— Vous vous sous-estimez. Vous ne pouvez donc pas vous imaginer que je vienne vous voir uniquement pour le plaisir ? Depuis ma libération je n'ai fréquenté que des hommes... J'ai eu l'envie légitime de contempler une jolie frimousse de connaissance. Marc Covet, Montbrison et toute la clique sont bien gentils, mais...

— Marc ? Vous l'avez vu ?

— A Lyon. Son journal est là-bas.

— Je savais que le *Crépu* était replié, mais j'ignorais dans quelle ville. Comment va Covet ?

— Pas mal. Un peu maigri, comme tout le monde. Il n'y a que Montbrison qui conserve son poids.

— Montbrison ?

— Julien Montbrison. Un avocat. Il est venu une fois à l'agence. Il y a bien longtemps. Vous ne vous souvenez pas de lui ! Un gros, avec des bagues.

— Non.

— C'est un copain de Bob... Un ami, pour être moins familier.

— Ah !... Et Bob, lui-même, qu'est-il devenu ? Je n'ai jamais eu de ses nouvelles.

— Bob ? Il est tranquille... Je l'ai revu, l'espace de quelques secondes. Il a été assassiné sous mes yeux en gare de Perrache, jetai-je, tout à trac.

Elle se mit brusquement sur son séant. Sa pâleur tourna au gris. Le cerne de ses yeux s'accentua.

— Asss... ! s'exclama-t-elle. Quelle est cette plaisanterie, patron ?

— Je ne plaisante pas. Colomer est mort comme je vous le dis.

Elle me dévisagea avec insistance. De mon côté, j'en fis autant. Le jour maussade l'éclairait suffisamment pour que je puisse me rendre compte de l'altération de son masque. Elle était bouleversée, car nous aimions bien Colomer à l'agence, mais ne trahissait aucun trouble suspect.

Je satisfis son impatience d'explications et de détails dans la mesure que je jugeai convenable et en faisant miennes les conclusions du commissaire lyonnais. Mon récit était semé de pièges, dans lesquels elle ne trébucha pas.

Croyant lui assener un coup de masse, je profitai de son apparent désarroi pour la prier tout à coup d'examiner la photo du matricule 60202. Elle la regarda sans intérêt marqué et je fus obligé de reconnaître *in petto* que l'indifférence dont elle faisait montre à l'égard de ce portrait n'était pas feinte.

— Qui est-ce ? dit-elle d'une voix neutre.

— Un compagnon de captivité. Je croyais que vous connaissiez cet individu.

— Non, je ne le connais pas. Qu'est-ce qui vous faisait supposer le contraire ?

— Rien, rétorquai-je bougon. Vous êtes la soixantième personne à qui je présente ce cliché.

Elle me coula à travers l'ombre de ses grands cils un regard presque amusé.

— Quand me faudra-t-il donner mon congé à l'Agence Lectout ?

— Oh ! ne croyez pas que je sois sur une affaire... L'Agence Fiat Lux est encore en sommeil. La guerre lui a porté un rude coup. Leblanc mort, Zavatter prisonnier, Reboul mutilé... et maintenant, Bob...

— Bob..., oui...

Elle secoua tristement la tête. La redressant, une lueur dans les yeux :

— Mais vous restez, vous, patron ? Et toujours debout.

— Oui... Je reste.

— Enfin... Quand vous aurez besoin de mes services, vous n'aurez qu'à me faire signe...

Je mis un terme à cette entrevue décevante et quittai le 60, rue de Lyon de fort méchante humeur et tout déconcerté. Ou, emporté par mon imagination, j'avais

fait fausse route, ou cette fille se jouait de moi. Aucun
des termes de cette alternative ne me plaisait.

Je m'embusquai dans un café proche et dévorai des
yeux la porte de l'immeuble. A quoi rimait ce comportement idiot ? Qu'attendais-je ? Qu'Hélène sortît ?
Qu'elle s'en allât prévenir (qui ?) que Nestor Burma
était sur la piste ? Qu'elle fût visitée par l'assassin de
Colomer ?

A une table voisine, un consommateur me regardait
à la dérobée. Parfois son regard, à lui aussi, se portait
de l'autre côté de la rue. Il feignait, entre-temps, de
prodiguer un vif intérêt à la première page d'un
quotidien. C'était l'homme de Faroux, aussi peu visible
qu'un éléphant sur le plateau des Folies-Bergère.

J'étais tellement en colère que je fus sur le point
d'interpeller cet homme et de lui dire d'abandonner sa
« planque ». Je me contins et, conscient d'avoir perdu
mon temps, je m'en fus, sous l'œil soupçonneux du
limier.

Je passai ma journée dans les boutiques de tous les
libraires que je trouvai sur mon chemin.

*
**

La porte du cagibi à tabatière, dans les locaux de la
P.J., où j'attendais en fumant nerveusement ma pipe,
s'ouvrit et livra passage à Florimond Faroux.

En rentrant chez moi, après dîner, j'avais trouvé un
pneumatique. Il émanait de ce personnage qui m'avait
téléphoné sans succès dans le courant de l'après-midi.
L'inspecteur avait vraiment trop de besogne pour se
déranger une nouvelle fois. Si je voulais faire un saut
jusqu'au Quai des Orfèvres, vers vingt et une heures
trente, il y serait. Il avait identifié les empreintes.

— Ah ! vous voilà, dit-il avec une rudesse inhabi-
tuelle. Je n'ai que quelques minutes à vous consacrer.
Je suis sur une affaire qui réclame tous mes instants.

Estimez-vous heureux que j'accorde la moindre importance à vos fariboles.

J'émis un sifflement moqueur.

— La température s'est sensiblement rafraîchie, observai-je. Qu'est-ce qui ne tourne pas rond ?

— Rue de Lyon, annonça-t-il, sans répondre à ma question. Votre ex-secrétaire ne s'est pas rendue à son travail. Rien de particulier sauf la présence, ce matin, dans le café qui fait face au 60, d'un individu paraissant surveiller la maison. Ce type, d'ailleurs, sortait de l'immeuble, semblait d'une humeur massacrante et n'est pas resté longtemps en faction. Mon homme a regretté de ne pouvoir le suivre.

— Vous direz à votre homme : premièrement, qu'il prenne des leçons pour passer inaperçu ; deuxièmement, qu'il lui est toujours loisible de rattraper le suspect en question. C'était moi.

Ces remarques ne firent qu'augmenter la rudesse de Faroux. Il vomit quelques injures, puis :

— Faut-il continuer la surveillance ? Ce n'est pas très régulier, ce que vous me faites faire...

— Continuez quand même... On ne sait jamais... Cela peut vous valoir des galons...

— Ouais... J'en doute.

— Et ces empreintes ?

— Ah ! oui, parlons-en. Quelle est cette plaisanterie ? Nous autres, de la police officielle, empoisonnons l'existence des vivants, mais alors, vous, détectives privés, vous battez les records vindicatifs. Espérez-vous me charger un jour de passer les menottes au type dont vous m'avez confié les empreintes ? Evidemment, ajouta-t-il, sarcastique, c'est cela qui me vaudrait des galons...

— Je n'ai pas cet espoir. Le type est mort.

Il manqua d'éclater.

— Vous le saviez ? C'est trop fort...

— Oui.

— Et vous m'avez fait fouiller dans nos fichiers ? A la recherche d'un mort. Et vous saviez qui c'était ?

— Non.

Il approcha sa moustache grise de mon visage, à le frôler.

— Vous ne saviez pas qui c'était ?

— Non, vous dis-je. Et vous allez me l'apprendre.

— Avec plaisir. Les empreintes sont celles de Georges Parry, dit Jo Tour Eiffel, l'international, le roi de l'évasion et des voleurs de perles.

CHAPITRE III

LE CAMBRIOLEUR

Je me levai d'un bond, en culbutant ma chaise. Ma pipe quitta ma mâchoire et roula sur le parquet. Je devais être la vivante image de la stupéfaction.

— Jo Tour Eiffel? balbutiai-je. Georges Parry?

J'agrippai Faroux par le revers de son veston.

— Allez me chercher l'album DKV, criai-je. Georges Parry n'est pas mort en 38. Il y a un mois, il vivait encore.

Il obéit, abasourdi par cette révélation, et sans plus demander d'explications s'en fut quérir la curieuse collection de portraits de criminels.

— Comparez cette photo à celle de Parry, dis-je en lui tendant la photo de l'amnésique, et voyez si elles présentent quoi que ce soit d'identique.

— Mais vous m'aviez dit...

— Ne vous occupez pas de ce que je vous ai dit. L'homme que vous voyez sur ce cliché et celui dont j'ai relevé les empreintes est le même.

Il se prit la tête à deux mains.

— Bon sang, se lamenta-t-il, prêt à jeter le manche après la cognée, bon sang, ce n'est pas le même homme...

Il me regarda, désemparé.

— Faut-il croire que, pour la première fois dans l'histoire policière et scientifique, les empreintes...

— Pas d'enfantillage, Faroux. Vous les avez soigneusement étudiées, hein ? Combien offrent-elles de particularités communes ?

— Dix-sept. Le maximum.

— A chaque doigt ?

— A chaque doigt.

— Alors, aucune erreur, tranchai-je. Notre gangster est bien le matricule 60202.

— Ce n'est pas le même homme, s'obstina-t-il, en cessant de comparer les deux images.

— Si, c'est le même homme. *C'est le même homme parce que c'est le contraire.* Ne me regardez pas comme ça... Je ne suis pas fou. Seulement un peu plus imaginatif... que d'autres. Calmez-vous et regardez attentivement. La forme générale du visage est inchangée, mais le visage même, sans tenir compte de la balafre, a subi certaines modifications. La bouche a été réduite, le menton s'orne d'une fossette artificielle. Le nez de Georges Parry était concave ; celui de mon cocaptif est rectiligne, les ailes amincies. Quant à l'oreille, décollée chez Jo Tour Eiffel, elle est ici fondue, quasi adhérente à la joue, l'antitragus très saillant est devenu rectiligne, etc.

— Vous... vous avez raison, convint-il, après un instant d'examen.

Et réalisant enfin ce qu'une telle constatation impliquait, il donna libre cours à sa fureur contre l'autorité chirurgicale qui avait ainsi maquillé les traits d'un criminel.

— On l'avait pourtant bien identifié, en 38, en cadavre de la côte de Cornouailles ? dis-je.

— Oh ! le corps était à moitié dévoré par les crabes... Mais enfin, oui, Scotland Yard l'avait identifié... heu...

— Je comprends. Vous n'osez pas insinuer que la police anglaise a pris ses désirs pour la réalité mais vous le pensez.

— En tout cas, après sa mort — vraie ou fausse — il n'a plus fait parler de lui.

— Parbleu ! Il voulait se retirer des affaires et vivre tranquillement de ses rentes. C'est pourquoi il a procédé à une mise en scène efficace et a eu recours, ensuite ou précédemment, tel Alvin Karpis, l'ennemi public numéro un des Etats-Unis, mais en plus chanceux, aux bons soins d'un maître chirurgien.

Faroux dévida derechef un écheveau d'imprécations et de menaces à l'égard de ce peu scrupuleux praticien. Quand il s'apaisa, ce fut pour réclamer des éclaircissements, car (il prit subitement un ton agressif) je les lui devais. Après avoir ramassé, essuyé, bourré et allumé ma pipe, je lui fis un récit détaillé de cette histoire, en passant toutefois sous silence l'épisode relatif au sosie de Michèle Hogan. Je dois être atteint de la maladie de la réticence.

— Résumons, dit ensuite l'inspecteur, en frisant pensivement sa moustache grise. Vous rencontrez au stalag Georges Parry en état d'amnésie... Non simulée ?

— Absolument non simulée.

— Au moment de mourir, il recouvre miraculeusement la mémoire l'espace d'un éclair et vous dit : « Hélène... 120, rue de la Gare. »

— Et, je lui demande : « Paris ? » Il croit que c'est son nom que je prononce et me fait un signe affirmatif. Donc, il n'y a rien à glaner rue de la Gare, dans le 19e arrondissement, où, d'ailleurs, le 120 n'existe pas...

— Bon. En arrivant à Lyon, vous assistez à l'assassinat de Colomer qui meurt en prononçant la même mystérieuse adresse. Croyez-vous qu'il avait découvert que Georges Parry était vivant ?

— Oui, c'est le seul lien qui semble rattacher les deux affaires.

— Je le crois aussi. Peu après, vous découvrez que ce 120, rue de la Gare pourrait être le 60, rue de Lyon. Bon. Pour avoir de plus amples renseignements sur la vie que menait votre assistant en province, vous vous adressez à un détective privé. Sa secrétaire bavarde et un ex-complice de Georges Parry tente de vous faire passer le goût du pain. D'après le commissaire Bernier, il semble que ce soit Jalome l'assassin de Colomer, mais... mais vous ne le croyez pas ?

— Non.

— Pourquoi ?

— A cause de la prudence de ce type. Pour cette qualité, je me réfère, non pas à la netteté de son logis, je vous dirai pourquoi tout à l'heure, mais à la sobriété du contenu de son portefeuille. Il est invraisemblable qu'un si prudent personnage laisse ainsi un revolver à la traîne... *Et je suis persuadé qu'entre minuit et trois heures et demie, heure à laquelle eut lieu notre visite au domicile de Jalome, quelqu'un d'autre a séjourné dans l'appartement.*

— Quoi ?

Je répétai.

— Vous avez des preuves ?

— Des présomptions, seulement.

— Qui est, selon vous, l'étrange visiteur ?

— L'assassin de Colomer et l'homme qui m'a dépêché Jalome. On peut supposer qu'il attendait, pas très loin du pont de la Boucle, le résultat de notre rencontre et que, ne voyant pas revenir son homme de main... Non... Mieux que cela, il a dû entendre un plongeon et, l'endroit où il attendait étant sur notre passage de retour, nous a vus revenir frais et roses du guet-apens. Effrayé, ne sachant plus très bien si je savais beaucoup ou peu, craignant qu'une perquisition, inévitable tôt ou tard, au domicile de Jalome, n'amenât la découverte de documents compromettants pour lui, il va à l'appartement de son complice — dont il doit posséder une clef — et... nettoie. Il laisse, misérablement cachée, l'arme du crime de Perrache, afin de faire croire que Jalome est l'assassin de Colomer. Ce revolver ne peut permettre d'identifier son véritable possesseur. Il est de fabrication étrangère, passé en fraude, acheté de

même. Il sera bientôt impossible de se procurer sa
munition. On peut s'en débarrasser sans regret.

— Vingt dieux de vingt dieux, sacra Faroux, je me
demande ce que vous faites à Paris. En admettant que
vos raisonnements ne reposent pas sur du vent, votre
assassin est à Lyon, cela saute aux yeux.

— On m'a embarqué de force, pour ainsi dire. Mais
j'ai laissé quelques instructions à Gérard Lafalaise. En
tout cas, j'estime : primo, que la solution de l'énigme
réside en zone occupée, Paris ou ailleurs...

— Qu'est-ce qui vous le fait supposer ?

— Mon intuition, d'abord. Oh ! ne rigolez pas. C'est
parce que les Bernier et les Faroux en manquent qu'ils
pataugent lamentablement. C'est mon intuition qui
m'a, par exemple, dicté de relever les empreintes de ce
mort, ce mystérieux amnésique. J'avais remarqué qu'il
roulait son doigt sur sa fiche de prisonnier avec une
assurance et une espèce d'habitude que ne possédaient
pas ses compagnons. Petit détail ? C'est de petits détails
de ce genre qu'est faite ma méthode...

— Et de la molestation des témoins...

— Pourquoi pas ? Ce sont des procédés complémen-
taires. Où en étais-je ?

— Vous m'énumériez les raisons qui vous font supposer que la solution du problème réside en cette zone.

— Ah ! oui. Donc, mon intuition. Ensuite, le fait
que Colomer s'apprêtait à franchir la ligne. Je tiens à
vous faire remarquer que je n'ai jamais cru une seconde
qu'il cherchait à fuir. Cela, c'est une idée du commissaire Bernier. Si Colomer avait découvert que Carhaix
était Jalome, c'est-à-dire un ex-complice de Jo Tour
Eiffel et de Villebrun (et on ne voit vraiment pas en
quoi cela pouvait l'intéresser), il n'aurait eu, pour se
sauvegarder, qu'à en informer la police. J'estime,
secundo, ne pas avoir perdu mon temps en regagnant
notre cher vieux village, car cela m'a permis d'identifier
l'homme sans mémoire et de voir d'un peu près Hélène
Chatelain.

— Quel est le rôle de cette dernière ?

— Je l'ai vue ce matin. Mon impression est qu'elle n'est en rien mêlée à cette affaire. Maintenant, je puis me tromper... c'est pourquoi je ne juge pas utile de suspendre la surveillance, mais je crains fort avoir péché par excès de subtilité en voulant faire dire à une adresse davantage qu'elle ne voulait réellement signifier. Voyez-vous, pour si décevant que cela soit pour moi, il se peut que ma fameuse équation : 120, rue de la Gare = 60, rue de Lyon, soit entièrement erronée. 120, rue de la Gare ne doit pas vouloir dire autre chose que 120, rue de la Gare. C'était évidemment une solution trop simple pour que mon esprit consentît à l'envisager. Or, des rues de la Gare, ce n'est pas ce qui manque en France. Il doit y en avoir une par agglomération. Quant à ce nom d'Hélène, que Parry a prononcé en mourant, j'ai encore eu tort de m'emballer dessus.

— Je continuerai quand même la surveillance, articula farouchement l'inspecteur.

Je ne pus me retenir d'émettre un petit rire silencieux. Ces policiers étaient vraiment tous les mêmes. Plus la piste paraissait fausse, plus ils s'y accrochaient.

Nous restâmes un instant sans rien dire. Faroux semblait avoir oublié qu'il n'avait que quelques minutes à m'accorder. Je rompis le silence en demandant :

— Pourriez-vous me procurer une carte d'état-major de la région de Château-du-Loir ? Le Bureau géographique de l'Armée est fermé et j'en ai vainement cherché une tout l'après-midi.

— Je peux vous avoir ça demain. C'est pour quoi faire ?

— Mettre à exécution un projet qui me taquine depuis longtemps et à cause de quoi je n'ai pas tenté de faire prolonger mon séjour à Lyon. Prospecter le coin où a été ramassé Georges Parry. Peut-être y trouverai-je quelques indices. Une rue de la Gare, par exemple... En tout cas, ces investigations sont élémentaires et je me dois d'y procéder...

— Je partage votre opinion. Voulez-vous que je vous fasse aider ? Que j'en parle au chef ?

— Patientons encore un peu. J'irai seul. Il faut d'abord que je détermine l'endroit exact où a été capturé Parry. Je me demande si c'est du domaine du possible.

— Vos données sont plutôt faibles...

— Cette photo m'aidera.

— Si vous croyez que les villageois, qui étaient dans leurs caves au moment du barouf, vont reconnaître tous les soldats qui sont passés par leur bled...

— Parry n'était pas soldat. Un soldat qui cherche à se mettre en civil se débarrasse en premier lieu de son uniforme et non de ses sous-vêtements. C'est élémentaire. Je pense plutôt qu'on a collé — j'ignore dans quel but — un uniforme sur le dos de Parry. Cette affaire est claire comme du jus de chique, hein ? De longtemps, je n'avais eu à m'occuper d'un pareil casse-tête. Un travail de tout repos, quoi, pour prisonnier libéré, de santé délicate. Mais, en fouinant dans les environs de Château-de-Loir, je dois pouvoir, si je ne ménage pas ma patience, trouver un bout de fil d'Ariane.

Faroux secoua la tête :

— Vous allez entreprendre une tâche bien ingrate, dit-il.

Je me levai.

— J'ai foi en mon étoile, affirmai-je têtu. L'étoile de Dynamite Burma... C'est de la fabrication d'avant-guerre.

Il me considéra sans desserrer les dents. Son attitude signifiait : à ce stade, mieux vaut ne point le contrarier. Il me serra la main, retira vivement la sienne, comme frappé d'une idée subite.

— J'oubliais votre port d'arme, dit-il. Je vous l'ai obtenu.

Il me passa le document.

— Merci, dis-je. Je comptais aveuglément sur vous. Tâtez ma poche.

— Vous n'êtes pas un peu cinglé, s'écria-t-il, de vous déguiser en arsenal ambulant ?

— Il ne m'est rien arrivé. Et maintenant (je tapotai le permis), il ne m'arrivera rien.

— Toujours votre étoile, quoi ?

— Eh ! oui.

Sur le quai, les premiers flocons blancs virevoltaient, annonçant un Noël de carte postale. Je fuis la neige en m'engouffrant dans le métro. L'inspecteur Florimond Faroux avait beau mettre en doute le pouvoir de mon étoile, ce pouvoir n'en existait pas moins et il n'attendit qu'une demi-heure pour se manifester, chez moi, sous les espèces d'un sympathique et inespéré cambrioleur qui arrivait à point nommé.

Je n'ai pas pour habitude — surtout lorsque je regagne tardivement mes pénates — de monter les escaliers en chantonnant, comme c'est le cas de mon ami Emile C..., par exemple. Heureusement — car, sans cela, mis en éveil, l'homme qui me faisait une visite nocture se fût esbigné et je n'aurais pas eu la satisfaction de le prendre au gîte. En passant, rendons hommage à mes semelles de caoutchouc qui ne trahirent pas le moindre bruit tout le temps de mon ascension.

Parvenu devant ma porte, je m'aperçus qu'elle n'était pas fermée. Entrebâillée, elle laissait filtrer un maigre rayon de clair-obscur produit par une lanterne sourde posée sur la table du bureau. Je discernai confusément un homme qui s'activait après la serrure de mon secrétaire.

Je mis le revolver au poing, entrai vivement, refermai violemment l'huis et tournai le commutateur.

— Inutile de s'escrimer après ce meuble, dis-je. Il ne contient que des factures impayées.

L'homme sursauta, laissa choir son outil et se

retourna, blanc comme un linge. A ses pieds, gisait un balluchon rebondi, butin vraisemblablement glané dans les appartements inoccupés de cet immeuble dont la plupart des locataires étaient en zone nono. Il leva lentement les bras en un correct et photogénique haut les mains, me montrant ainsi qu'il manquait trois doigts à sa dextre. Il était de petite taille et quoique la visière de sa casquette lui cachât les yeux, je voyais suffisamment de son visage pour reconnaître le faciès caractéristique du pégriot. Il cracha un effroyable juron et dit d'une voix grasseyante, en tordant bizarrement la bouche :

— Je suis bon.

J'éclatai d'un rire nerveux, le cœur bondissant.

— Et alors, Bébert, dis-je, comment va ?

CHAPITRE IV

LA MAISON ISOLÉE

Sous la visière les yeux clignotèrent. Il ne me reconnaissait pas. Je lui rafraîchis la mémoire, en phrases brèves. Il était pâle de frousse, il pâlit encore, si c'était possible, de stupéfaction. Et sa bouche se tordit davantage lorsqu'il exhala son étonnement en un langage pittoresque et précis, mais intranscriptible. Je le poussai vers un fauteuil où il tomba mollement.

— Mon intention n'est pas de te livrer à la police, dis-je quelques instants plus tard.

Toujours sous la menace de l'automatique que je n'avais pas quitté, revenant peu à peu de sa surprise, l'ex-prisonnier trempait ses lèvres dans un verre de vin, magnanimement offert par sa victime.

— Non. Tu iras tout à l'heure remettre en place les objets que tu t'es appropriés et on oubliera ce... cet instant de défaillance.

— Oui, fit-il docilement. Merci. Je...

Il voulut m'infliger un discours pour excuser sa conduite.

— Ne me prends pas pour un cornichon, l'interrompis-je. Arrête ton boniment. Puisque je ne te fais pas de morale, fais-moi la grâce de tes simagrées. J'ai mieux à faire qu'écouter tes mensonges.

— Comme... comme vous voudrez.

— Te souviens-tu de ce type qui est mort au *Lazaret*

du stalag, en notre présence, celui qui ne se rappelait
plus rien et que tu avais baptisé La Globule ?

— Oui.

— Tu as assisté à sa capture, si j'en crois ce que tu
m'as dit là-bas ?

— Oui.

— Reconnaîtrais-tu l'endroit ?

— Sans doute. Mais c'est loin d'ici.

— Ce n'est pas place de l'Opéra, bien sûr. Château-
du-Loir, hein ?

— Oui.

— Nous irons demain.

Bébert n'éleva aucune objection. Il ne comprenait
pas, mais s'estimait heureux de s'en tirer à si bon
compte.

Je me mis à téléphoner de droite et de gauche pour
joindre Florimond Faroux. Je l'atteignis enfin, non sans
mal. Je lui dis qu'il n'existait pas de train complet pour
moi et qu'il me fallait deux places demain matin pour
Château-du-Loir. Qu'il tâche de m'avoir cela. Oui,
mon étoile avait fait des siennes. J'avais découvert sous
mon paillasson un camarade ayant assisté à la capture
de Parry qui voulait bien me conduire sur les lieux
mêmes. Pour empêcher l'inspecteur de m'adjoindre
une paire d'anges gardiens, ce fut la croix et la
bannière.

Cette affaire réglée, je composai à tout hasard
l'ancien numéro de Louis Reboul. J'eus la chance qu'il
fût toujours abonné.

— Allô, dit-il encore endormi.

— Ici Burma. Mettez votre réveille-matin sur 4 h 30
et dès 5 heures apprêtez-vous à venir vous installer dans
mon appartement. Je dois m'absenter subitement et
comme j'attends une communication téléphonique de
province, il me faut quelqu'un pour la recevoir. Je ne
vous verrai pas demain ; je vais vous donner mes
instructions. Etes-vous suffisamment réveillé pour les
comprendre ou dois-je laisser par écrit ?

— Mais je suis parfaitement réveillé, patron.
(C'était vrai. Sa voix était claironnante et joyeuse. Cela
lui faisait plaisir que je ne l'oublie pas.) Allez-y, je
prends des notes.

Je lui indiquai ce qu'il aurait à faire.

— A nous deux, monsieur Bébert, dis-je ensuite. Il
me faut tout de même essayer de dormir et comme je
ne veux pas que tu en profites pour te débiner, je vais
t'attacher.

Il protesta que ce n'était pas chic, engagea sa parole
d'homme... Sans l'écouter, je lui entravai les chevilles,
lui liai les mains, le déposai sur un divan et lui jetai une
couverture dessus. Il était de tempérament fataliste. Il
ne tarda pas à s'endormir. Plus vite que moi, qui ne
cessai de faire des sauts de carpe dans mon lit. J'étais
extrêmement agité et je me levai à diverses reprises
pour m'assurer que l'alcool que je réserve pour les
grandes circonstances ne s'était pas évaporé. Ce qui
ajouta à ma surexcitation.

Je fis le voyage la main continuellement sur la blague
à tabac, soit pour garnir ma pipe, soit pour accéder aux
demandes vraiment pressantes de mon compagnon.

Impatienté et craignant qu'il ne me prît pour une
poire, je lui demandai s'il ne pouvait pas faire comme
les autres fumeurs : acheter du tabac.

— Avec quoi ? geignit-il.

Il fouilla dans sa poche et en retira deux francs.
C'était le reliquat de sa prime de démobilisation. Je
haussai les épaules.

— Ramasse les mégots.

Il me répondit que sa dignité ne le lui interdisait pas,
mais qu'un couloir de wagon n'était pas un boulevard.

Jusqu'au terme du voyage, nous eûmes une conversation aussi intelligente. C'est dire si je poussai un soupir

de soulagement lorsque nous atteignîmes Château-du-Loir.

J'avisai un hôtel de second ordre où je retins une chambre à deux lits. Mon compagnon ne fit pas une trop mauvaise impression sur le personnel. Je lui avais prêté un pardessus, trop long pour sa taille mais offrant l'avantage d'être moins râpé que celui qu'il portait la veille ; il avait également échangé sa casquette crasseuse contre mon béret ; enfin, je l'avais obligé à se raser. De tout son individu, la seule particularité inquiétante restait sa fameuse torsion buccale, mais comme il n'était pas bavard... Avant de nous mettre en campagne, je téléphonai mon adresse à Reboul et m'informai auprès de l'hôtelier d'une éventuelle rue de la Gare. J'essuyai une réponse négative.

— Et maintenant, en route, dis-je en gratifiant d'une tape sonore le dos de Bébert. Voici un paquet de gris. Il deviendra ta propriété lorsque nous aurons trouvé l'endroit.

Il grimaça et se planta au milieu de la rue, s'orientant. Nous filâmes vers le sud-ouest.

Il soufflait un petit vent frisquet qui n'avait rien d'agréable. Le ciel gris annonçait une imminente chute de neige. Les ruisseaux étaient couverts d'une épaisse couche de glace et sous nos pas, la terre gelée résonnait. De loin, les boqueteaux, avec leurs arbres noirs et dénudés, desquels s'élevait parfois un vol de corbeaux, ressemblaient à des fagots, abandonnés au milieu des champs. Combien ce paysage désolé était loin de celui, riant, que devait offrir, sous le soleil de juin, ce même coin de province ! Bébert allait-il s'y reconnaître ?

Je me posai la question avec une inquiétude accrue. Le temps passait et mon cambrioleur ne poussait pas l'exclamation joyeuse qui le rendrait propriétaire d'un somptueux paquet de gris. La nuit manqua nous surprendre assez loin de notre domicile. Les pieds, les mains et le visage glacés, nous rentrâmes à l'hôtel où la soupe aux choux qu'on nous servit fut la bienvenue. Je donnai à Bébert le quart de son paquet de tabac. Il l'avait bien mérité. Ce n'était pas sa faute s'il n'avait pas trouvé le fameux endroit.

Le lendemain, avant de poursuivre nos recherches, nous nous lestâmes d'un solide petit déjeuner. La campagne avait du bon ; les restrictions ne s'y faisaient pas trop durement sentir. Le patron, pour qui nous étions des clients inespérés, était aux petits soins pour nous. Il s'inquiéta si le vin était bon, si le pain n'était pas trop noir, si dans l'ensemble nous étions satisfaits.

— Au-delà du possible, dis-je la bouche pleine. Mais je le serais encore plus si je parvenais à mettre la main sur un oiseau avec lequel j'étais prisonnier. Ce type est devenu millionnaire et il ne le sait pas. Vous comprenez, ajoutai-je sur un ton demi-confidentiel, je fais des recherches dans l'intérêt des familles...

Je lui colloquai la photo du matricule 60 202. Il l'honora d'un examen attentif et me la rendit avec indifférence.

— Ce monsieur demeurait par ici ?

— Je le crois. Il ne vous rappelle rien ?

— Non. Il faut vous dire qu'il n'y a que trois mois que je suis établi ici. Le père Combettes aurait pu vous renseigner.

— Qui est-ce ?

— Un braconnier, connaissant tout le monde à dix kilomètres à la ronde.

— Où est-il ? fis-je avec vivacité.

L'hôtelier se mit à rire.

— Au cimetière... et pas comme gardien.

J'allais pousser un juron de désappointement, lorsque Bébert me devança.

— Ça y est, cria-t-il en lâchant sa fourchette et en faisant subir à sa bouche une torsion vraiment phénoménale, ça y est. Vous pouvez m'abouler le paquet de gris. Combettes... La Ferté-Combettes... Je me souviens avoir lu ce nom sur un poteau indicateur, peut-être dix minutes après avoir été « fait »...

— Y a-t-il un pays de ce nom dans les environs ? demandai-je à l'hôtelier.

Le brave homme cessa de contempler la bouche tordue et, encore tout remué, porta ses yeux sur moi.

— Oui, monsieur, dit-il. A cinq kilomètres.

— Comment y va-t-on ?

— Dans le temps, par le car. Mais aujourd'hui, on y va à pied.

— Indiquez-nous la direction.

Il le fit très obligeamment et nous nous enfonçâmes dans la campagne. Le vent avait cessé, mais la neige comblait cette absence. Néanmoins, j'étais relativement joyeux. Je touchais au but et... je me frottai les mains. Le froid n'y était pour rien.

Nous atteignîmes La Ferté-Combettes, blancs de neige. C'était un tout petit village. Trois maisons qui se battaient en duel, une église et quelques fermes autour, comme retirées fièrement. Bébert examina attentivement les lieux, regarda le sol. Il avait tout du chien de chasse. Soudain, tel cet animal, il fila d'un trait, m'invitant à le suivre. Il n'y avait plus aucune trace d'indécision dans son allure. De son index tendu, il me désigna une maison dont la cheminée laissait échapper un mince filet de fumée.

— Je reconnais cette ferme, dit-il, avec sa grange toute de travers. Ce fut notre première étape. Il doit y avoir un étang derrière.

Nous fîmes encore quelques pas, en pataugeant, et nous hissâmes sur un talus. Effectivement, nous aperçûmes un étang. Sa surface gelée commençait à disparaître sous la neige.

— L'affaire est dans le sac, dit Bébert.

Il emprunta un sentier zigzaguant. Après un bon moment de marche, il me montra triomphalement un écriteau. « La Ferté-Combettes, un kilomètre », y était-il mentionné. Poursuivant notre marche, nous atteignîmes un petit bois.

— Celui dans lequel nous étions lorsque nous avons été « faits » est plus loin, voulut m'expliquer Bébert.

— Il ne m'intéresse pas, coupai-je brutalement. Je cherche celui dont sortait La Globule.

— C'est ici.

— Tu en es sûr ?

— Sûr et certain.

Il avança de quelques pas, pivota et me fit place.

— Nous venions comme ça, puisqu'on allait à la ferme. La Globule sortait de là.

— Parfait.

Je m'enfonçai dans le bois, suivi de l'escarpe qui me réclamait son tabac. Je le lui donnai.

Le bois était plus grand et plus touffu que je n'aurais supposé. J'avançais frénétiquement. Mon pied rageur écrasait branchettes et brindilles jonchant le sol. Chercher un indice dans cet endroit, six mois après l'événement, était une entreprise folle. Néanmoins, j'allais de l'avant. Et mes efforts et ma foi en moi-même furent soudain récompensés. Au milieu d'une minuscule clairière, une maison isolée nous apparut.

Il se dégageait de cette demeure, assiégée par les mauvaises herbes, une intolérable impression d'angoisse et de tristesse. La plus grande surface de la façade disparaissait sous le lierre et même, à l'étage, la végétation parasitaire obstruait une fenêtre. Les volets étaient clos. Les marches du perron étaient recouvertes, sous la neige, d'un tapis de feuilles pourries. La grille entrouverte grinça sur ses gonds, lorsque nous la poussâmes. Seulement tirée, la porte d'entrée s'ouvrit sous mon pied en protestant également. A l'intérieur, une odeur nauséabonde de renfermé, de moisissure et d'abandon, nous accueillit.

J'allumai ma torche électrique. Nous nous trouvions dans un vestibule sur lequel s'ouvraient quatre portes. Elles donnaient respectivement accès à la cuisine, à une espèce de cabinet de débarras, à un grand salon et à une sorte de bibliothèque. La maison était dépourvue de tout éclairage moderne. Des bidons de pétrole, que nous découvrîmes dans un placard et de grandes lampes rustiques suspendues aux plafonds, nous l'apprirent. L'amour du pittoresque campagnard n'avait pas toutefois été poussé au point de ne pas installer un chauffage central. Chaque pièce était pourvue d'un ou deux radiateurs alimentés par une chaudière dont nous remarquâmes plus tard la présence dans la cave. Les cheminées monumentales de la bibliothèque et du salon entraient dans la composition de l'ensemble comme élément purement décoratif.

Purement décoratif ? Non. Celle de la bibliothèque, en particulier, devant laquelle était disposé un fauteuil d'osier, recelait en son foyer un amas de cendres et des grosses bûches à demi calcinées. On y avait fait du feu.

La lumière de ma torche étant insuffisante pour avoir une vue d'ensemble, je priai Bébert d'ouvrir les fenêtres. Le jour qui nous parvint ainsi n'était pas aveuglant mais facilitait l'inspection.

Tout à coup, le regard circulaire que je promenais sur cette triste pièce poussiéreuse s'arrêta sur un calendrier. L'éphéméride disait : 21 juin.

Il m'a été donné plusieurs fois de constater que le premier geste de quiconque se trouve en présence d'un calendrier « en retard » est de le mettre machinalement à jour. Celui-ci, arrêté à la date du 21 juin, ne semblait pas avoir été, depuis, regardé par d'autres yeux que les miens. *Et on avait fait du feu, dans cette pièce, le 21 juin.*

Du calendrier, mon regard alla au fauteuil. On l'eût dit placé face à la cheminée par un extraordinaire frileux. Je poussai un véritable rugissement. Autour de ce meuble, de solides ficelles — des petites cordes — jonchaient le sol.

Bébert allait et venait dans la pièce, ramassant des mégots, conformément à mon conseil de la veille. Je l'interrompis dans sa captivante activité.

— Ta date de capture ?

— Encore ? Le 21 juin.

— Et c'est le jour où tu as rencontré La Globule ?
— Oui.
— Qu'est-ce qu'il avait de particulier ? Ne m'as-tu pas dit qu'il avait mal aux pieds ?
— Si. Des panards en compote. Tout roussis. Ma parole, il avait dû vouloir faire la danse du feu.

Oui, curieuse danse du feu qu'on avait fait exécuter à Jo Tour Eiffel. Il ne faisait aucun doute que nous nous trouvions dans un domicile de Georges Parry. J'eus, au cours des heures qui suivirent, tout loisir de m'en persuader. Les livres qui tapissaient la bibliothèque, à part les œuvres complètes, non coupées, d'Untel et d'Untel et qui n'étaient là que pour garnir, n'avaient trait qu'aux amusettes dont était friand ce gangster. Il y avait aussi quelques bouquins licencieux et d'autres... professionnels ; je veux dire de droit et de criminologie, et une suggestive collection de journaux. L'homme aimait parfois relire le récit de ses exploits.

Dans un livre, je découvris une photographie. Celle d'une jeune fille qui ressemblait comme une jumelle à Michèle Hogan. A part cela, je ne mis la main sur aucun papier intéressant. Cela ne m'étonna pas, les malfaiteurs n'ayant pas pour habitude de constituer des archives avec les documents compromettants.

Je poursuivis mon examen attentif du fauteuil. Je remarquai sur l'appuie-tête, à gauche, environ la hauteur de l'endroit où se trouverait la joue de la personne assise, une curieuse éraflure. En dépit de la poussière qui le recouvrait, ce meuble était neuf. Sous les yeux stupéfaits de Bébert qui avait terminé sa récolte de bouts de cigarettes, je m'armai d'une loupe de poche et promenai un œil inquisiteur sur la totalité du fauteuil. Je ne puis dire que je fis des découvertes sensationnelles, mais enfin, entre deux brins d'osier, au point de jonction du siège et du dossier, mon attention fut éveillée par un morceau de verre que j'extirpai à l'aide de mon couteau et que je mis en sûreté dans mon portefeuille.

Après avoir refermé soigneusement les volets, nous quittâmes ce lieu sinistre où une tragédie s'était déroulée, alors qu'alentour la guerre faisait rage et que le bruit de la canonnade, le tac-tac-tac des mitrailleuses et l'éloignement (surtout l'éloignement — la situation isolée de la villa l'avait même préservée depuis juin de la visite de quiconque) empêchaient les cris de douleur d'un gangster, soumis à un troisième degré renouvelé du XVIIIᵉ siècle, d'attirer l'attention.

La neige recouvrait maintenant tout le paysage. Un vent aigre s'était levé. Il ne faisait pas un temps à musarder. Néanmoins, je frappai à la porte de la première maison que nous trouvâmes sur notre route. Je ne pouvais mieux tomber.

Au bout d'un quart d'heure, employé à calmer les ardeurs d'un chien fort en gueule et à mettre en confiance un vieillard encore vert, aux indéniables allures de braconnier, j'obtins de cet ancêtre les renseignements suivants :

La maison isolée se nommait Le Logis Rustique. Elle appartenait à un certain M. Péquet. (Le vieillard reconnut l'amnésique comme étant celui-ci.) M. Péquet était un original, vivant retiré, n'entretenant de relation avec aucune personnalité du village et ne recevant pas de visites. Il était installé là depuis 1939. Depuis cette date, le ménage Mathieu (mon interlocuteur en était la partie mâle) composait la domesticité du Logis. Le 20 juin 1940 au matin (les Mathieu se souvenaient parfaitement de la date à cause de la mort d'un de leurs parents survenue la veille) le 20 juin donc, ils avaient été visités par le monsieur qui, en 1939, les avait engagés pour le compte de M. Péquet. Il leur rapportait les affaires personnelles qu'ils avaient laissées à la maison du bois et leur paya trois mois de gages. M. Péquet n'avait plus besoin d'eux. Il avait décidé de gagner le Midi. Ce départ ne surprit pas. Il était compréhensible. Depuis la veille, le canon s'était rapproché et il y avait belle lurette que le châtelain lui-même avait décampé.

Le père Mathieu fit de son mieux pour me décrire l'homme qui paraissait régir les affaires de M. Péquet, mais je compris vite que fournir un signalement détaillé n'était pas son fort. J'abandonnai, sans trop d'amertume, et nous regagnâmes notre hôtel. Chemin faisant, et nonobstant la vision d'horreur que m'avait suggérée l'examen du Logis Rustique, je chantonnais.

Après m'être renseigné à la gare sur l'heure des trains du retour, nous fîmes honneur à un repas qui cumulait le goûter et le dîner. Après quoi, je réglai mes comptes avec Bébert. Il avait bien gagné les deux cents francs que je lui colloquai. Ma munificence le laissa pantois. Plongé dans un abîme de perplexité, il s'interrompit dans sa décortication de mégots, dont il avait un plein cornet confectionné avec une page arrachée à un catalogue Wattermann, trouvé sur le bureau de Jo Tour Eiffel.

Et il eut un geste.

Générosité pour générosité, il m'en offrit une poignée.

Je les acceptai en riant.

CHAPITRE V

RUE DE LA GARE

Je réintégrai mon domicile parisien peu avant le couvre-feu. Fidèle au poste, Reboul mâchonnait un cure-dent à deux pas du téléphone.

— Bonsoir, patron, dit-il, en me tendant sa main gauche, la seule qui lui restât. J'ai téléphoné à votre hôtel du Château-du-Loir. Vous veniez de partir.

— Ah! Le message est arrivé? Que dit-il?

— Votre correspondant est méfiant, hein? J'ai transcrit notre conversation. Je vais vous la lire. Vous ne comprendriez jamais mon gribouillis. Voici : « Allô! M. Nestor? » « Non, M. Nestor n'est pas là pour le moment. Vous êtes M. Gérard? » « Oui. » « Ici Louis Reboul, de l'Agence Fiat Lux, expressément de faction auprès de l'appareil pour recevoir votre message. » « Ah! bon. Dites à M. Nestor que notre ami, rétabli de son accident, lequel était plutôt une chute sans gravité, prendra ce soir le train pour Paris. Il y arrivera vraisemblablement, sauf catastrophe ferroviaire, à neuf heures et demie, dix heures, demain matin. »

— Parfait, parfait. Vous irez attendre ce particulier à la gare, le prendrez en filature et me communiquerez son adresse. J'ai justement une photo de lui qui va nous être très utile. Je vais vous la donner.

J'ouvris le secrétaire et lui tendis une coupure de presse.

— Et dire que j'avais conservé cela à cause de la netteté de l'impression.

— Bénie soit la manie de collectionner, dit Reboul, sentencieusement. L'inspecteur Faroux a également téléphoné. C'était peu après mon coup de fil dans la Sarthe. Je lui ai dit que vous étiez vraisemblablement dans le train. Il voudrait que vous l'appeliez dès votre retour.

— Fichtre ! m'exclamai-je en riant. Il est bien pressé de connaître le résultat de mon expédition. Il attendra. Pour l'instant, je vais dormir. Je ne saurais trop vous conseiller d'en faire autant. Il faut que vous ayez les yeux en face des trous.

Au matin, après un sommeil d'enfant et pendant que mon agent se dirigeait vers la gare du P.L.M., je m'en fus à la Bibliothèque nationale compulser divers périodiques jaunis et, notamment *Crime et Police,* une excellente revue qui fournissait sur les criminels célèbres ou non les plus nombreux détails.

Lorsque, assez satisfait, je regagnai mon logis, je trouvai devant la porte de l'immeuble, Louis Reboul qui, lui ne l'était guère.

— J'ai bien repéré votre type, dit-il, penaud, mais il m'a possédé dans le métro. C'est ma faute... Bon sang, patron, je ne suis plus bon à grand-chose. Je suis amputé du bras, pourtant, pas du cerveau... J'aurais dû...

Je le conjurai de s'expliquer clairement. Il me raconta une histoire de monnaie et de billet de dix francs qui l'avait retardé au guichet des tickets. Le temps perdu ne l'avait pas été pour tout le monde et lorsqu'il était parvenu sur le quai, la rame emportant notre client était partie depuis belle lurette.

— Je suis un idiot. Un idiot, répéta-t-il. J'aurais dû me munir d'un carnet. Un gosse de cinq ans y aurait pensé...

— Ne vous frappez pas, le consolai-je, en fourrageant dans ma tignasse. Certes, je ne vais pas illuminer,

mais... Ecoutez-moi bien et n'essayez pas de me
bluffer. En général, je ne mange pas les mutilés à la
croque-au-sel. Notre homme vous a-t-il semé intention-
nellement, s'étant aperçu de votre filature ou tout cela
n'est-il dû qu'à un fâcheux concours de circonstances?

— Il ne se doutait de rien, patron. Je ne vous dis pas
que ce soit habileté de ma part, mais plutôt parce qu'il
ne paraissait craindre aucun inconvénient de cet ordre.
Une filature en or. Sans cette idiote d'employée et
ma...

— Ça va. Vous ne vous serez pas dérangé inutilement. D'après ce que vous me dites, tout n'est peut-
être pas perdu. Il est fort possible qu'il m'honore d'une
visite.

Il recommença ses lamentations. Je lui répétai de ne
pas se tracasser ainsi et le renvoyai chez lui. Il partit, le
dos rond. Dans mon bureau, je jouai avec le téléphone.
Quelques essais infructueux et je joignis Faroux. Je
n'eus presque pas le loisir de lui dire que je n'avais pas
perdu mon temps.

— Ne bougez pas de chez vous, cria-t-il. J'arrive tout
de suite.

— Et ce boulot accablant, alors? Vous me paraissez
bien nerveux.

Il n'entendit pas ces remarques, étant sans doute déjà
dans la rue. Je bourrai une pipe en souriant. Si le
placide Florimond lui-même consommait du lion...

Ma pipe s'éteignit en même temps que vibrait la
sonnette de l'entrée. Il était prématuré de songer que
ce fût l'inspecteur. Effectivement, ce n'était pas lui.
J'ouvris à Marc Covet.

— Ma première visite est pour le génial Nestor
Burma, dit-il en entrant et se précipitant vers le
radiateur. Saleté de froid, de neige et de saison! Le
Crépu a bien choisi son temps pour remonter à Paris.

— Ah! vous allez reparaître dans la capitale?

— Oui. C'était dans l'air depuis quelques mois et
maintenant, c'est fait. Saleté d'hiver!

— En effet, approuvai-je. Mais il ne doit guère faire meilleur à Lyon. Quoi de neuf ?

Il s'assit en grimaçant.

— Une histoire marrante, rivalisant avec les meilleures du genre de fabrication marseillaise. Cette police lyonnaise, tout de même... Savez-vous, qu'intransigeante comme personne, elle convoque dans un de ses commissariats un cadavre ? Celui de notre ami Carhaix-Jalome, pas moins...

— Vraiment ? Contez-moi la chose... puisque aussi bien vous en crevez d'envie.

— Avant-hier, l'honorable commissaire Bernier a été informé qu'un agent de police avait déposé au domicile du défunt assassin un avis convoquant ledit assassin au commissariat de son quartier. Qu'avait encore fait cette canaille pour encourir les foudres de la Loi ? Rien... Ou plutôt, si... Elle poussait la criminalité à commettre un délit *post mortem*. La convocation avait trait à une infraction aux règlements d'obscurcissement urbain dont s'était rendu coupable notre mignon noyé, dans la nuit du 15 au 16, qui est celle de son attentat *contre moi* et de son châtiment. Mais, à deux heures du matin, heure à laquelle un agent patrouilleur prétend avoir vu une lumière intempestive (*sic*) dans l'appartement de Carhaix où était-il, Carhaix ? Dans le Rhône, n'est-ce pas ?

— Depuis quatre-vingt-dix minutes, à peu près.

— C'est ce que Bernier a dit à l'agent. Et ce brave homme — qui approche de la retraite — n'est plus très sûr de ne pas avoir fait erreur sur l'heure, voire l'étage ou le logement...

— Très intéressant. S'il s'est trompé d'heure, c'est la lumière que nous faisions lors de notre visite qu'il a aperçue... Nous l'avons échappé belle...

— Et s'il ne s'est pas trompé d'heure ? demanda Covet sur un ton significatif.

J'éclatai de rire.

— Vous êtes assez grand pour en tirer les conclu-

sions qui s'imposent, non? Je présumais qu'entre le
saut dans le Rhône du personnage et notre visite à son
domicile, il y avait quelqu'un d'autre chez lui. Vous
m'en apportez la preuve. Je vous remercie.

Prévoyant qu'il allait m'assassiner de questions,
j'opérai un mouvement dilatoire en offrant du rhum. Il
leva la main, en un comique et inattendu geste réproba-
teur.

— De l'eau minérale, du robinet ou un jus de fruits,
mais pas autre chose.

— Vous êtes au régime?.

Il fit quelques pas dans la pièce.

— Vous n'avez pas remarqué?

— Une légère claudication, si. Vous avez eu un
accident? m'informai-je, en riant de plus belle.

— Et si cela était? Ce serait donc si drôle? Non,
c'était le Pernod. Les lois sur l'alcoolisme sont arrivées
à pic pour me sauver la vie. Une crise de rhumatisme
alcoolique ou quelque chose dans ce goût-là. Ça ne
s'était pas manifesté depuis deux ans. Je me croyais
tranquille. Ah! ouiche... ça m'a attrapé dans le train
cette nuit. Donnez-moi de l'eau et ne poussez pas la
cruauté à boire de l'alcool devant moi.

Le timbre de l'entrée me dispensa de donner suite à
cette invitation. Il retentit impérativement. Celui qui
l'actionnait devait y maintenir son index.

— C'est l'huissier? demanda Marc, finement.

— Non. Une dame qui m'apprend le diablotin.
Votre présence nous troublerait.

— Compris, dit-il en se levant et grimaçant de
douleur. Je loge à l'*Hôtel des Arts,* rue Jacob. Ne
m'oubliez pas.

— Je n'aurai garde.

J'ouvris la porte et manquai de recevoir un coup de
pied sur le tibia. Las de produire de la musique avec la
sonnette, Florimond Faroux s'apprêtait à faire entrer
ses souliers en action.

— C'est ça, votre dame ? rigola Marc. Elle aurait pu s'épiler.

Il descendit l'escalier en clopinant.

— Qu'est-ce que c'est que ce galopin ? me demanda l'inspecteur en se campant devant le radiateur qui, décidément, avait beaucoup de succès.

— Un journaliste.

— Il me fait l'effet d'un joli petit voyou.

— L'un n'exclut pas l'autre, dis-je philosophiquement.

Et estimant que nous avions assez gaspillé de temps en fariboles, je racontai à grands traits les recherches effectuées la veille et l'avant-veille à Château-du-Loir et les découvertes subséquentes.

— C'est assez suggestif, hein ? ajoutai-je en guise d'appendice à mon récit. On peut reconstituer le drame ainsi : pour une raison ou pour une autre, pour lui arracher un secret, lui faire avouer je ne sais quoi, des hommes torturent Georges Parry à la manière des Chauffeurs d'Orgères, en lui grillant la plante des pieds. Et, au lieu d'amener la révélation attendue par les tortionnaires, ce traitement provoque l'amnésie.

Faroux me regarda, ébahi. Je me levai et pris un volume dans le casier.

— C'est une étude sur le sommeil, dis-je, par un professeur de Faculté. Ecoutez ce qu'il nous dit. Ecoutez ces curieuses observations médicales. *Nous constatons que l'homme, lorsqu'il est en butte à un danger, ou lorsqu'il a à faire face à de gros soucis, a une tendance, sinon à faire le mort, du moins à s'endormir, ce qui est un moyen de se défendre de la réalité pénible, de s'en défendre en fuyant. Il existe une « fuite dans le sommeil ». Ce phénomène bien intéressant a été constaté par divers auteurs... Voici d'abord le cas d'un négociant. Un jour, comme il était au téléphone, appréhendant de mauvaises nouvelles, il s'endormit subitement, le cornet à la main. Autre cas : un jeune homme, à la suite de conflits avec son père, présentait un impérieux besoin de dormir. Plusieurs fois, au moment où apparaissait le père, le fils tombait endormi. Une dame très intelligente et énergique tombe endormie lorsque quelque chose ne marche pas à souhait, lorsque par exemple ses leçons de chant vont de travers. Un étudiant, interrogé par un examinateur sur une matière qu'il n'a qu'imparfaitement étudiée, s'endort pour ne pas avoir à répondre à la question, etc.*

Je fermai le bouquin.

— Ne croyez-vous pas que ce soit un phénomène psychique du même ordre qui ait aliéné la mémoire de Jo Tour Eiffel ? M'est-il interdit de supposer que sous l'effet de la torture, au moment où il pressent que sa douleur physique va lui laisser malgré lui échapper son secret, le psychisme de Georges Parry, en une prodigieuse réaction de défense, fait un violent effort pour *oublier,* pour *s'endormir,* puisque dormir c'est oublier ? Et cet effort véritablement cataclysmique, venant après plusieurs heures de tourments (c'est le 20 qu'un homme a congédié le ménage de domestiques et j'ai relevé dans les autres pièces de la villa les traces d'une sorte de campement), cet effort, dis-je, compromet l'équilibre, provoque un traumatisme qui engendre l'amnésie, non temporaire mais définitive. Ce n'est que plus tard, *in extremis,* que se produit le phénomène inverse. Et les premières paroles conscientes qui lui viennent aux lèvres sont justement — j'en mettrais... hum !... ma main au feu — celles que ses bourreaux n'ont pu lui arracher : 120, rue de la Gare... Une adresse, si je comprends bien, qui ne porte pas précisément bonheur à ceux qui la connaissent.

Faroux frappa dans ses mains.

— Vous avez toujours des explications ingénieuses. Après tout, je ne possède pas d'éléments de contradiction et le côté scientifique de votre argumentation me botte. Mais ce n'est pas tout... Il faudrait peut-être envoyer une commission rogatoire perquisitionner dans cette turne champêtre et recueillir la déposition des

larbins. Pour cela, il faut mettre le chef au courant.
Car, je vous parle sérieusement, Burma, nous ne
pouvons continuer plus longtemps à travailler en
cachette. Surtout que pendant votre absence, il s'est
passé du nouveau. Je venais exprès en vitesse pour vous
le dire, mais depuis que je suis là vous ne m'avez pas
laissé placer un mot... et votre récit était si attachant...

— Quel genre de nouveau ?

La moustache grise de l'inspecteur se hérissa.

— Croyez-vous toujours à l'innocence de votre ex-
secrétaire ? Je crains que là aussi votre première
intuition ait été la bonne. Hier, la fille Chatelain — je
n'estime pas prématuré d'employer cette tournure
professionnelle —, la fille Chatelain, qui n'était toujours pas retournée à son travail, est sortie. Pistée
comme d'habitude, elle a conduit son suiveur jusqu'à la
porte d'Orléans. Là, renonçant à prendre l'autobus en
raison de l'affluence, elle a hélé un vélo-taxi. Mon
agent a nettement entendu qu'elle disait au bicycliste :
« Ce n'est pas loin, c'est rue de la Gare. » L'engin a
disparu en direction de Montrouge. La situation de
mon agent était délicate et il n'a pu réquisitionner un
vélo comme il était en droit de le faire s'il avait été nanti
d'une mision régulière. Il a donc abandonné la filature
et est revenu se poster rue de Lyon, après m'avoir fait
part de cet incident. Tard dans la soirée, la fille
Chatelain a réintégré son domicile. J'ai fait renforcer la
surveillance, mais sans prendre d'autre décision. A ne
rien vous cacher, j'attendais votre retour pour voir ce
qu'il y avait lieu de faire. Mais je vous avertis, je suis
décidé à agir.

— Et moi aussi, fis-je avec animation. Nous faisons
une belle paire de boîtes à surprises. Accordez-moi
encore un ou deux jours avant de mettre votre chef
dans le secret... Et maintenant, allons chez l'oiselle.
Grouillons.

— J'ai une voiture à la porte, dit l'inspecteur.

— Une voiture... une voiture de police ?

— Dame !

— A ma porte ? Vous voulez donc me couler définitivement dans l'esprit de ma concierge ?

Rue de Lyon, Hélène Chatelain n'était pas chez elle.
La gardienne de l'immeuble nous dit qu'elle avait dû
profiter de son ultime jour de congé pour faire des
courses. Nous allâmes au bistrot d'en face. Un limier de
Faroux y attendait l'heure de la retraite.

— Martin a suivi la « poule », dit-il élégamment. Il n'a
rien dû se passer de grave, sans quoi il aurait téléphoné.

Il n'y avait rien d'autre à faire qu'à prendre son mal
en patience. Nous nous y résolûmes et, après avoir garé
la voiture dans une rue discrète, nous bûmes quelques
demis. La teneur en alcool de ces breuvages n'inclinait
pas à l'optimisme.

A huit heures, il faisait nuit close lorsqu'un type aux
allures de roussin pénétra dans le bar. C'était le fameux
Martin que Faroux accabla de questions. Il venait de
raccompagner la « poule » (lui aussi disait « la poule »)
après l'avoir suivie de la Samar au Louvre, du Louvre
aux Galeries, des Galeries au Printemps. Tout son être
criait le dégoût qu'il avait contracté des Grands Maga-
sins.

— Allons-y, jetai-je, et si je la bouscule un peu,
regardez de l'autre côté.

Lorsque j'eus dit mon nom, Hélène nous ouvrit sans
hésitation. Toutefois, son visage exprima une certaine
surprise de me voir accompagné. Elle n'était pas sotte
et comprit tout de suite (je le vis à son regard) que
Faroux n'était pas un poète élégiaque.

— Ecoutez, mon petit, attaquai-je sans préambule,
nous allons jouer cartes sur table. Depuis quelques
jours, la police vous file et ce, à mon instigation. Nous
discuterons une autre fois de savoir si j'ai eu tort ou
raison de prendre ces mesures. Pour l'instant, je vais
vous poser quelques questions. Tâchez d'y répondre
sans faux-fuyants. Vous remarquerez qu'une pipe n'at-

tend pas l'autre, cela signifie que je suis drôlement excité.

Elle exorbita ses grands yeux gris, recula, s'accota à la table et posa sa main, en un gracieux geste effrayé, sur son sein palpitant.

— Vous…, patron, murmura-t-elle. Vous… vous me faisiez suivre… Et pourquoi donc ?

— C'est à moi de poser des questions, non à vous. Votre grippe est guérie, hein ? Du moins je le suppose, puisque, hier, vous êtes allée faire une promenade en banlieue. J'ignore quelle localité, mais je sais que c'était rue de la Gare. Or, les rues de la Gare, depuis quelque temps, ça m'intéresse.

Disant cela, je plongeai mon regard au plus profond de ses yeux. A part le trouble que je pouvais y lire, consécutif à notre irruption, ils n'en trahirent pas d'autre. Mais elle dit :

— C'est au sujet de Bob.

— Oui, au sujet de Bob. C'est curieux que vous ayez deviné du premier coup, ricanai-je.

— Je ne vous demande pas si c'est au sujet de Bob, articula-t-elle d'une voix ferme et hostile. Je vous dis que c'est au sujet de Bob.

— Encore mieux. Cela nous évite une perte de temps. C'est au sujet de Bob que vous êtes allée rue de la Gare ?

— Oui.

— Où cela ?

— A Châtillon.

— Au 120 ?

— Non, pas au 120. Au… ma foi, j'ignore le numéro… je crois bien ne l'avoir jamais su… C'est une villa que louent les parents de Bob, tout au bout de la rue.

— Vous êtes allée chez les parents de Bob, rue de la Gare, numéro je-ne-m'en-souviens-plus ?

— Oui.

— Il ne faut pas se moquer de moi, Hélène, proférai-

je menaçant. Vous me connaissez suffisamment pour
savoir que cela peut tourner à votre confusion. J'ai noté
l'adresse des parents de Bob sur une carte qu'ils lui ont
fait parvenir à Lyon. C'est rue Raoul-Ubac, villa des
Iris.

— Si vous me bousculiez moins, peut-être pourrais-
je m'expliquer. Nous avons raison tous les deux. La rue
Raoul-Ubac est la nouvelle dénomination de la dernière portion de la rue de la Gare. Jusqu'à hier,
j'ignorais ce détail. Avant l'armistice, cela s'appelait
encore rue de la Gare. Je connais l'endroit pour y être
allée plusieurs fois naguère avec Bob.

Tout cela fut débité avec un indéniable accent de
vérité. Je n'arrêtais pas d'allumer ma pipe. Mon
excitation était à son comble.

— Et qu'êtes-vous allée faire chez les parents de
Bob ?

— Ce sont de pauvres vieux que je connais bien.
Une visite de condoléances. Je n'en suis pas revenue
très gaie. Ils ont reçu l'annonce officielle de la mort de
leur gars. Ça a été un coup, surtout pour le père
Colomer. Terriblement affecté, il a dû s'aliter. Pas de
veine... il travaillait depuis peu à la Sade, comme
gardien de nuit...

Je lui agrippai le corsage.

— Qu'avez-vous dit ?

— Allons, patron, bas les pattes.

Je serrai plus fort.

— Quel nom avez-vous dit ?

— Lâchez-moi. Vous n'avez pas amélioré vos
manières, en captivité.

Je la lâchai.

— A la Sade, dit-elle en défroissant son corsage.
Société anonyme de distribution de je ne sais quoi...
Un nom dans ce genre...

— C'est loin de la demeure des Colomer ?

— Assez loin, mais facilement accessible. Rue de la
Gare, également.

— Au 120 ?

— Qu'est-ce qu'il y a donc à ce fameux 120 ? Un pensionnat de jeunes filles ? Non, je ne sais pas si c'est au 120.

— En tout cas, cette rue de la Gare est suffisamment longue pour comporter ce numéro ?

— Je le crois.

— Filons, dis-je à Faroux. Hélène ne me paraît pas mentir. Nous allons explorer ce mystérieux et fatal 120, rue de la Gare. Maintenant, nous connaissons la localité.

— *Monsieur* Burma, articula mon ex-secrétaire d'une voix sourde, ne revenez pas ici sans vous préparer à me faire des excuses.

Florimond répondit pour moi.

— Inspecteur Faroux, de la P.J., dit-il en montrant sa carte. Je n'ai pas autant de raison que M. Burma de croire vos paroles. Je vous serai obligé de ne pas bouger d'ici jusqu'à nouvel ordre. Au demeurant, je vous avertis que partout où vous irez vous serez suivie.

CHAPITRE VI

L'AUTRE MAISON ISOLÉE

— On commence à y voir clair, dis-je, une fois installé dans la Renault de la Préfecture. En possession du cryptogramme, Colomer fait des recherches à la bibliothèque dans les œuvres sadistes. Cela lui fournit le numéro 120. Le même jour, il a reçu une carte de ses parents l'informant que son père travaille à la Sade. (Cela ne m'a pas sauté aux yeux parce que c'était mal orthographié) mais cela donne à Bob le nom de la rue (il connaît la localité, y étant né).

— Comment a-t-il pu situer l'adresse si nettement ? grogna Faroux, qui m'avait écouté tout en donnant ses ordres au chauffeur.

— A cause du Lion, qu'il a mal orthographié — c'est héréditaire — en recopiant le message chiffré. C'était bien : *du Lion,* et non pas : *de Lyon.* Le Lion... En venant du Lion (le Lion de Belfort) et après avoir rencontré le divin marquis (Sade), c'est le plus prodigieux..., etc. (120). La maison où nous nous rendons est située au-delà de cette Compagnie des Eaux, en venant de Paris. Espérons que nous allons y faire autant, sinon davantage, de découvertes que j'en ai fait hier dans la Sarthe, car il reste pas mal de points à élucider : comment le cryptogramme est parvenu entre les mains de Colomer ? Pourquoi il en prit copie ? Comment il a deviné l'importance de cette adresse ? Comment il a été conduit à rattacher tout cela à

l'existence de Jo Tour Eiffel ? Autant de points d'inter-
rogation.

— Oui. Sans compter ceux relatifs à Georges Parry.
Pourquoi était-il en uniforme ? Pourquoi ses persécu-
teurs, qui ne m'ont pas l'air de premiers communiants
pour l'avoir ainsi martyrisé, lui ont-ils laissé la vie
sauve ?

— Oh ! là, je crois pouvoir vous répondre. Cela
chauffait — sans jeu de mots — dans les environs. Ils
risquaient d'être encerclés d'un moment à l'autre et ils
ne tenaient pas à laisser le cadavre d'un civil dans une
maison susceptible d'être visitée. D'une manière ou
d'une autre, ils avaient dû s'apercevoir que leur victime
avait quasiment perdu la raison. Ils l'ont déliée, lui ont
collé une défroque de soldat et l'ont abandonnée dans
le bois après lui avoir déchargé un revolver en pleine
figure. Mais ils étaient nerveux, le coup n'a pas été
précis. Ils ont fui sans s'assurer si la mort avait fait son
œuvre.

— C'est épatant, une imagination pareille. Vous me
dites cela comme si vous aviez assisté à la chose.

— Hé là ! vous n'allez pas me passer les menottes ?
Ce serait mal reconnaître la supériorité de Dynamite
Burma sur les Bernier et autres Faroux.

En devinant (le black-out était absolu) que nous
passions devant le Lion de Belfort, je le saluai ironique-
ment. Nous enfilâmes l'avenue d'Orléans à vive allure.
A Alésia, le chauffeur stoppa, sortit un plan d'une
sacoche et l'examina, supervisé par l'inspecteur.

— Avenue de Châtillon, dit Faroux, ensuite route de
Rambouillet ; arrivés à Maison-Blanche, nous obli-
quons à gauche, route Stratégique, et la première à
droite, c'est la rue de la Gare.

— Bon Dieu ! m'exclamai-je, dire que c'est si près et
que la première fois que j'en ai entendu parler c'était
entre Brême et Hambourg...

A la porte de Châtillon, nous remarquâmes, dans le
ciel noir, les pinceaux lumineux de projecteurs. Nous

roulâmes pendant cinquante mètres et les sirènes mugirent lugubrement. Une alerte.

— Que se passe-t-il ? s'étonna Faroux. Un essai ?

— Non. C'est la signature de la Paix. Vous n'entendez pas le feu d'artifice ?

Le ronron du moteur avait jusqu'à présent couvert les bruits d'une D.C.A. éloignée. Mais une batterie plus lourde donnait de la voix. Baoum ! Baoum ! L'obus éclatait dans les nuages avec un bruit flou.

— Belle nuit pour une orgie à la Tour. Surtout ne faites pas la bêtise d'obéir à vos propres ordonnances. Vous êtes de la police, hein ? Nous avons affaire au 120, rue de la Gare. Si nous y parvenons avant la fin d'alerte, nous risquons de surprendre ses habitants dans la cave.

— Qu'allons-nous leur dire ?

— Cela dépendra de l'inspiration du moment. En tout cas, nous examinons consciencieusement la baraque. J'espère que ce n'est pas un gratte-ciel.

Arrivés à Maison-Blanche (si l'on pouvait dire), la canonnade donnait toujours. Par instants, le sol frémissait. Le ciel était hérissé de raies lumineuses. Nous passâmes sous un pont et enfilâmes la tant désirée rue de la Gare, boueuse de neige piétinée.

Je fis stopper devant un vaste écriteau blanc qui se pavanait au milieu d'un champ ceint d'un grillage et braquai dessus ma torche électrique. « S.A.D.E. », lus-je.

— Continuons, dis-je, ça ne doit plus être très loin.

Nous poursuivîmes notre route. Le moins que l'on pouvait dire était que dans cette voie les maisons ne se touchaient pas. Pendant plusieurs mètres, nous ne devions avoir, à droite et à gauche, que des champs. Souvent, nous nous arrêtions pour regarder les numéros des petits pavillons plongés dans le sommeil. Enfin, nous découvrîmes le 120.

Il était distant de toute autre habitation d'au moins cent cinquante mètres. Un mur bas, supportant une

grille, l'entourait. C'était une villa à un étage, avec un
rez-de-chaussée surélevé, morne et sombre et ne laissant filtrer aucune lumière. A la lueur des phares bleuis
que le chauffeur, sur l'ordre de Faroux, braqua un
instant sur la façade, nous aperçûmes de rébarbatifs
volets clos, sauf à la dernière fenêtre de gauche où un
battant pendait, retenu par un seul gond. J'éprouvai à
cette vue la même oppressante impression de mélanco-
lie que la veille, dans le bois sarthois.

J'avisai une sonnette et l'actionnai. Une cloche
grelotta à l'intérieur de la maison, éveillant les échos,
mais ne provoquant aucun signe de vie.

Je l'agitai encore, sans plus de résultat.

— Il y a pourtant eu des visiteurs récents, fis-je
remarquer en dirigeant le jet de ma lampe électrique
sur le sentier conduisant de la grille au perron. La neige
est foulée.

— Eh! monsieur, s'exclama le chauffeur. De la
lumière, là-haut, au premier...

— De la...

Je levai les yeux et poussai un juron.

— Vous appelez cela de la lumière? Vite, Faroux.
Ça flambe.

Nous nous ruâmes sur le portail qui s'ouvrit sans
effort, au grand étonnement de l'inspecteur. La porte
d'entrée ne nous donna pas plus de mal. Elle avait été
forcée et sa serrure, toute démantibulée, n'était rete-
nue que par une unique vis. Nous nous orientâmes
rapidement et gravîmes l'escalier en trombe. Nous
débouchâmes dans une pièce de vastes dimensions où
un rideau, léché par de courtes flammèches, répandait
une lueur rougeâtre. Piétinant divers objets jonchant le
sol, je me précipitai et réduisis sans peine le sinistre.
Nous étions arrivés à temps.

J'entendis les déclics produits par un commutateur
manœuvré.

— L'électricité ne fonctionne pas, monsieur, pro-

nonça la voix étouffée du chauffeur. A moins qu'aucune lampe ne soit fixée.

Un jet de ma torche vers le plafond nous convainquit
du contraire.

C'était le courant qui manquait.

— Mettez-vous à la recherche du compteur,
Antoine, dit Faroux.

— Et munissez-vous de votre revolver, ajoutai-je. Il
se peut qu'il y ait dans cette demeure un oiseau
dangereux. Celui qui a tout bouleversé.

— C'est déjà fait, dit l'homme. Mais j'ai laissé ma
lampe dans la voiture. Voulez-vous me prêter la vôtre,
inspecteur ?

Il fit un pas en direction de Faroux.

— Hep... Quel est ce bruit ? dis-je, soudainement.

— C'est moi, monsieur, répondit Antoine. J'ai posé
le bout du soulier sur un objet cylindrique et l'ai
catapulté.

— Un objet cylindrique ?

— Oui.

Je balayai le sol du rayon de ma lampe. Je n'éclairai
que le désordre déjà constaté, sans rien voir d'autre.

— Il nous faut trouver une combine pour y voir
mieux, grommelai-je. Ces lampes de poche sont insuffi-
santes.

— Allez voir ce compteur, ordonna Faroux à son
subordonné.

L'agent partit et nous attendîmes son retour,
L'oreille tendue. Sauf le glissement des souliers de
l'homme sur le tapis râpé de l'escalier, aucun bruit
suspect ne se faisait entendre. Les roulements lointains
des batteries de D.C.A. étaient seuls perceptibles, ainsi
que, sur la voie ferrée proche, le sifflet intermittent
d'une locomotive manœuvrant. Antoine revint. Il
s'était muni d'une baladeuse que recelait le coffre de
l'auto. Il n'avait pas trouvé le compteur.

L'ampoule de la baladeuse était puissante. Nous
pûmes à loisir examiner les lieux.

Une espèce de commode dévastée perdait le contenu de ses tiroirs. Son dessus de marbre avait été enlevé et posé à côté. Le meuble lui-même avait été déplacé. Des gravures pendues au mur, il ne restait plus que les clous. Les tableaux gisaient dans un coin, leurs vitres brisées, leurs cadres arrachés. Quelques livres avaient été jetés sur le parquet.

— Crédié, articula l'inspecteur, résumant l'opinion générale, un ouragan est passé par là...

— Allons donc, rétorquai-je, vous n'avez pas l'habitude de mettre en scène de pareils tableaux, lors de perquisitions ? Mais si vous tenez à l'ouragan, il est de l'espèce « fumeur de cigarettes ». C'est un mégot qui a d'abord consumé une feuille de papier, laquelle a communiqué le feu au rideau. Ce processus exigeant un certain temps, nous pouvons en inférer que le visiteur avait fui bien avant notre arrivée. Ma prudence d'il y a un instant était excessive. Nous pouvons rengainer nos pétards.

— J'ai vu les pièces du bas en cherchant le compteur, dit Antoine, en haussant le ton. Elles sont également en pagaille.

— Cela ne m'étonne pas. On s'est livré à une perquisition en règle.

En fouillant, je découvris un marteau dont la partie plane portait des traces d'une poudre quelconque. Plus tard, en explorant méthodiquement les murs, nous nous aperçûmes qu'ils avaient été martelés et que cette poudre était du plâtre qui avait filtré par une déchirure du papier mural. Il était clair que les sondages n'avaient eu d'autres buts que la recherche d'une partie creuse dans la maçonnerie. Nous nous gardâmes de manipuler davantage cet outil qui, au dire de Faroux, devait porter des empreintes. J'en doutais.

Enfin, je mis la main sur l'objet cylindrique qu'avait heurté le chauffeur. C'était une douille éjectée par un pistolet Browning.

Dans l'instant qui suivit, nous en découvrîmes deux

autres. Elles paraissaient avoir enveloppé des projectiles d'un calibre différent. Cependant que Faroux les
glissait dans sa poche sans mot dire, je jetai des regards
vers un lourd rideau de velours grenat qui semblait
masquer l'ouverture d'un cabinet. M'en approchant
pour l'écarter, je contournai un fauteuil. Alors je vis
avec stupeur qu'un soulier à haut talon, un soulier de
femme, pointait sous les plis du rideau.

Je saisis vivement l'étoffe et la fis courir sur la tringle.
Etendue dans l'étroit espace, une lampe électrique
éteinte à ses côtés, une main gluante de sang sur sa
poitrine, une jeune fille gisait, les yeux clos. Elle portait,
sur un tailleur de bonne coupe, un imperméable beige
suédé. Le foulard bigarré qui lui tenait lieu de chapeau
avait glissé, libérant une lourde chevelure acajou.
Livide et apparemment sans vie, c'était la fille de
Perrache, la mystérieuse fille au trench-coat, celle dont
j'avais découvert une photo chez Georges Parry.

— Elle vit, dit Faroux, en se redressant. Le cœur bat
faiblement, mais elle vit. Le mieux que nous ayons à
faire est de la transporter à l'hôpital.

— C'est une idée intelligente, ironisai-je. Vous avez
beau être de la police, nous nous heurterons à un tas de
difficultés. Conduisons-la plutôt chez un toubib à qui
nous pourrons demander de tenir sa langue et qui ne
nous empêchera pas d'interroger cette fille avant même
qu'elle soit complètement rétablie.

— Vous avez cela dans votre poche ? ricana-t-il.

— Exactement.

Je feuilletai le carnet sur lequel j'avais noté l'adresse
de Dorcières.

— Villa Brune, c'est tout près d'ici... au bout de la
rue des Plantes.

— Alors, allons-y. Que dit le sac, Antoine ?

— C'est une nommée Hélène Parmentier, répondit l'autre. Etudiante...

— Hum...

Cette qualité n'inspirait véritablement aucune confiance à l'inspecteur.

— Nous nous occuperons de cela plus tard, fis-je d'un ton acerbe. Pour le moment, il s'agit de...

— C'est pourtant intéressant.

— Je donnerais volontiers tout le contenu de ce sac pour un quart d'heure de conversation avec cette fille. Si nous tardons encore, c'est la morgue qui la recevra et non un docteur. Ne nous endormons pas et filons. Dès qu'elle ouvrira un œil, je vous promets de mettre en branle tous mes moyens de séduction pour qu'elle mange le morceau.

— Vous êtes un drôle de Don Juan, remarqua-t-il.

Eclairés par Antoine, nous descendîmes notre joli fardeau, toujours sans connaissance, et l'installâmes du mieux que nous pûmes dans la torpédo. Faroux laissa le chauffeur en surveillance dans la mystérieuse maison et prit le volant. Comme nous démarrions, les sirènes mugirent pour le signal de fin d'alerte.

En cours de route, sentant un corps dur contre ma hanche, je plongeai la main dans la poche du manteau de la blessée. J'en retirai un automatique dont je reniflai le canon. Cette arme n'avait pas servi récemment. C'était celle que je lui avais vue dans la main à Perrache. Mais je savais depuis longtemps que, là-bas non plus, elle n'avait pas tiré. J'enfouis le revolver dans ma poche. Nous arrivions villa Brune.

Mon ex-co-interné abritait sa précieuse et élégante personne dans une espèce d'hôtel particulier. Le domestique qui nous ouvrit n'était pas sûr que son maître fût là.

— Dites-lui toujours que c'est son ancien camarade de stalag, Nestor Burma, qui désire le voir pour une communication urgente, m'écriai-je impatienté.

— Accompagné de l'inspecteur de police Faroux, renchérit Florimond.

Le larbin s'esquiva et revint. Non, décidément, monsieur n'était pas à la maison. Son regard évitait le nôtre.

J'écartai l'homme d'une bourrade et, Faroux sur les talons, poussait la porte par laquelle il était passé pour nous débiter son mensonge.

A notre irruption dans ce logis douillet, un homme, vêtu d'une riche robe de chambre, se précipita vers un meuble et en ouvrit un tiroir.

— Encore une entrée comique, dis-je, en m'élançant. Attention, Faroux. Il va vous griller les moustaches.

J'abattis ma main en arête, aussi ferme qu'une hache, sur le poignet de Dorcières et son revolver chut sur le tapis. D'un coup de soulier, je mis l'arme définitivement hors d'atteinte.

— J'espère que vous avez le droit de posséder un Euréka, dis-je. Cet homme est un flic.

— Qu'est-ce que tout cela signifie ? gronda celui-ci, agressif.

— Rien de grave, certainement. Un petit malentendu que monsieur dissipera très facilement, sans aucun doute. Mais ajournons cette mise au point. Une blessée grave vous attend en bas, monsieur Dorcières. Nous ne venions pas pour autre chose que la confier à vos soins.

Hubert Dorcières se passa la main sur les yeux et parut sortir d'un songe. Un tic nerveux lui agitait les lèvres. Il dit :

— Excusez-moi. Je ne vous avais pas reconnu, Burma. Et vous êtes entrés d'une telle manière... J'ai honte de ma conduite... d'avoir perdu si sottement le contrôle de mes nerfs, mais... je me suis surmené, ces jours-ci... Votre nom ne me disait plus rien et emmitouflé comme vous l'êtes... tous deux... je vous ai pris pour deux faux policiers... Vous savez sans doute que ces

tristes individus ont encore fait parler d'eux... c'est
dans les journaux de ce matin... Comme je possède une
fortune rondelette... je vis dans la terreur perpétuelle
d'être leur prochaine victime...

Il leva ses yeux clairs sur Faroux. Son tic s'était
apaisé.

— Bien entendu, l'inspecteur ne me croit pas ?

— Hum..., grogna Faroux.

Il s'était saisi de l'arme et la tenait soupçonneuse-
ment dans sa main.

— Vous avez un permis ? questionna-t-il.

— Mais certainement.

Il s'apprêtait à le produire. Je m'interposai.

— Plus tard, la paperasse. Je me porte garant de
l'honnêteté du docteur, Faroux. Ma parole doit vous
suffire. Occupons-nous de choses plus sérieuses.

J'exposai au chirurgien ce que nous attendions de lui.
Le temps pressait.

— Après un pareil incident, je crains de ne pas être à
même de vous satisfaire personnellement, s'excusa-t-il.
Mes mains n'auraient certainement pas toute la dexté-
rité désirable. Mais conduisons cette blessée à ma
clinique ; mes aides sont aussi adroits que moi et, en
l'occurrence, davantage.

Il ôta sa robe de chambre, se fit apporter par le
domestique éberlué un veston et un lourd pardessus à
col de fourrure. Cinq minutes plus tard, nous étions à sa
clinique. Les chirurgiens de garde s'empressèrent. La
jeune fille avait reçu dans la région cardiaque une balle
qu'ils se mirent en devoir d'extraire. Mais ils firent
toutes réserves quant à l'issue de l'intervention.

Tandis qu'ils accomplissaient leur œuvre, Faroux et
moi nous nous retirâmes dans une pièce discrète,
ripolinée de blanc, pas précisément chaude et où le
docteur Dorcières nous fit apporter un peu de café.

— Qu'est-ce que c'est que ce toubib ? dit Faroux, de
plus en plus méfiant. Vous croyez à son histoire ?

— Aveuglément. L'explication qu'il nous a fournie

de son attitude est plausible. Mais vous êtes toujours libre d'enquêter sur son compte dès demain matin.

— Hé ! hé !... Rien ne dit que je ne le ferai pas.

— Alors, c'est que vous avez du temps de reste. Comme je ne suis pas dans ce cas, je vais inspecter le sac de cette jeune fille. A présent, nous pouvons en toute tranquillité nous livrer à cette opération.

L'examen du sac nous réservait des surprises.

CHAPITRE VII

HÉLÈNE

D'après les papiers trouvés en sa possession, la jeune blessée se nommait Hélène Parmentier. Elle était née le 18 juin 1921. Elle avait demeuré à Lyon, 44, rue Harfaux. Son actuel domicile était un hôtel, rue Delambre, dont elle possédait une carte publicitaire.

Nous nous trouvâmes tout de suite en pays de connaissance, en découvrant, parmi divers papiers, trois suggestives photos. L'une représentait un groupe où figurait Robert Colomer ; la deuxième, l'amnésique du stalag, en plus convenable, évidemment, rasé de près, portant lunettes et sans sa balafre ; la dernière, enfin, reproduisait les traits de Georges Parry, avant sa transformation.

Cramoisi d'intérêt, Faroux se mit à compulser la paperasse qui garnissait le sac. Une minute après, il me passait un télégramme.

Adressé à Mlle Parmentier, aux bons soins de M. et Mme Froment, au Cap d'Antibes, il était expédié de Lyon, daté du jour de mon retour en France, c'est-à-dire du jour de la mort de Colomer et s'exprimait ainsi :

Puisque revenez ce soir ne sortez pas gare. Attendez-moi quai Perrache. Vous réserve surprise. Baisers. Bob.

Ce n'était pas mal. La lettre suivante était mieux. Elle jetait un jour aveuglant et inattendu sur la

véritable identité de la soi-disant Hélène Parmentier.
Non datée, en voici la teneur :

   Mon enfant,

   *Lorsque tu recevras cette lettre, je ne serai plus du
nombre des vivants. Je sais que tu ne me tiendras pas
rigueur de t'annoncer cet événement sans plus de précautions ; depuis quelques années, depuis que tu connais ma
« profession », nous avons été si peu, l'un pour l'autre,
fille et père... Chaque fois que je t'écris, un ami très sûr
en est avisé. C'est lui qui a pour mission de t'expédier ce
pli s'il reste six mois sans recevoir de mes nouvelles. La
présente est, en quelque sorte, mon testament. Tu
trouveras de quoi vivre confortablement durant toute ton
existence dans la villa où tu n'es jamais allée, mais dont
tu connais l'emplacement et possèdes les clés. Tu sais de
quelle villa il s'agit :* En venant du Lion, après avoir
rencontré le divin et infernal marquis, c'est le livre le
plus prodigieux de son œuvre. *(Je persiste dans ma
manie des rébus jusqu'au-delà de la mort...)*

   — Oui, fis-je. Tu veux dire que la méfiance instinc-
tive de tout hors-la-loi ne te quitte pas...
   Je continuai ma lecture :

   Je t'embrasse affectueusement et longuement.

   Suivait une griffe tarabiscotée où se discernaient les
G. et P. (Cette signature précédait un post-scriptum :

   Pour cruellement ironique que cela paraisse...

   Je tournai la feuille :

   *... il m'est doux de songer que la réception de cette
lettre sera pour toi comme un signal de délivrance.
   Je t'embrasse affectueusement et pour la dernière fois,*

*mon enfant chérie. Rien de fâcheux ne peut plus
désormais se produire du côté de*

                                        ton père.

Faroux tira sur sa moustache.

— C'est la fille de Jo Tour Eiffel, dit-il.

— On le dirait. La fameuse Hélène dont il a
prononcé le nom en mourant.

— Je suis heureux de constater que cela met hors de
cause votre secrétaire.

— Moi aussi. Je peux préparer un tombereau
d'excuses...

— Vous vous débrouillerez. Vous n'avez pas votre
pareil pour retomber sur vos pattes. Quelle est cette
surprise à laquelle votre collaborateur conviait cette
jeune fille ? Sa mort violente ?

— Je ne pense pas. Nous le demanderons à l'intéres-
sée dans quelques instants. Passez-moi l'enveloppe qui
contenait cette lettre.

Elle était carrée, de couleur jaune, bon marché. La
suscription n'était ni de la même main ni de la même
encre que le « testament » du gangster. Je pris la lettre,
promenai ma loupe recto verso, la pliai et l'introduisis
dans l'enveloppe.

— L'assassin est borgne ? gouailla Faroux.

— Non, gaucher. Ne remarquez-vous rien de
bizarre ?

— A quoi ?

— A la façon dont est pliée cette lettre. C'est une
feuille de format courant, non pliée en quatre, comme
l'enveloppe devrait rationnellement le motiver, mais au
tiers et ensuite par le milieu. Ce qui fait qu'elle nage
véritablement dans cette enveloppe. Bizarre !

— N'imitez pas Georges Parry et cessez de vous
exprimer par charades. Je n'ai pas le temps de réfléchir.
Videz votre sac.

— Cette lettre était d'abord contenue dans une
enveloppe de format allongé, cachetée de cire rouge.

Une légère perforation dans cette première enveloppe a permis le passage d'un peu de cette substance à l'intérieur. Voyez vous-même cette espèce de tache au dos de la lettre. Vous pourrez la faire analyser par tout votre saint-frusquin. Je vous paye des guignes si ce n'est pas de la cire. Selon moi, l'ami « très sûr » dont parle Georges Parry n'était pas si sûr que cela et son dévouement aux intérêts du gangster loin d'être à toute épreuve. En possession d'une lettre cachetée dont on ne lui a pas caché l'importance, l'homme de confiance (*sic*) n'attend pas six mois. Il brise les cachets et prend connaissance du testament. Il décide de s'emparer de ce magot qui doit, si nous nous souvenons des exploits du gangster, constituer une véritable fortune. Bien entendu, il ne perd pas de temps à mettre au clair le rébus. (Pour un non-initié, il est pratiquement indéchiffrable. Ce n'est que servi par un extraordinaire concours de circonstances que Bob y est parvenu.) Il rend visite à Parry et lui demande gentiment — à la lueur d'un poétique feu de bois — de lui révéler l'emplacement de la planque. Il se passe ce que vous savez et notre homme revient bredouille. Il laisse s'écouler les six mois fatidiques et, ne pouvant utiliser l'ancienne enveloppe, soit qu'il l'ait détruite, soit qu'elle soit en piteux état, s'empare de la première venue et envoie le testament de Parry à Hélène... Parmentier...

— C'est donc quelqu'un qui connaît son adresse et sa véritable personnalité ?

— Cette blague ! Il lui expédie donc le testament avec l'intention de la suivre dans ses déplacements, sachant qu'elle le conduira tôt ou tard au magot...

— Et il semble bien que cela se soit passé ainsi. Il l'a remerciée de son amabilité en lui trouant la paillasse. Comment expliquez-vous que Colomer ait eu l'occasion de prendre une copie du rébus ?

— Nous pouvons exclure l'hypothèse selon laquelle

ce serait la fille de Jo qui aurait demandé à Bob de se
livrer à ce travail...

— Elle n'avait nul besoin d'aide, en effet. La lettre
de son père nous laisse supposer qu'elle devait savoir de
quoi il parlait et comprendre à demi-mot.

Il s'interrompit, puis :

— Comprendre à demi-mot ? Dites donc, cette lettre
donne bien des indications quant à la maison du trésor,
mais rien sur l'emplacement de ce dernier...

Sans répondre, je repris l'examen de la lettre. Je
remarquai dans le coin gauche, en haut, deux piqûres
d'aiguille.

— Il manque un document annexe, dis-je. Un plan,
ou quelque chose de ce genre...

— Hum... Si cela était, notre homme aurait vu sa
tâche grandement facilitée et...

— Il n'en a jamais eu connaissance. Le post-scriptum est, si je puis dire, d'un âge différent du contexte.
Estimant son épître un peu trop sèche, Parry a tenté de
l'adoucir par l'adjonction de quelques mots tendres.
Pour ce faire, le document épinglé le gênant, il l'a
enlevé... et a omis de le remettre en place.

— Ce ne sont que des suppositions...

— Que les faits corroborent. Pourvu d'un plan — ou
de ce que nous supposons tel — notre homme aurait-il
tout saccagé dans la villa de Châtillon ?

— Non, évidemment. Il n'y a qu'un instant, j'étais
d'ailleurs sur le point de formuler pareille objection.

— Alors... vous voyez bien...

— Puisque vous êtes en état de voyance, monsieur
Je-sais-tout, dites-moi vite comment Colomer a eu
l'occasion de prendre cette fameuse copie...

Il se moquait de moi. J'abandonnai la lettre pour
l'enveloppe. Au bout d'un moment, je ricanai.

— Que diriez-vous si je vous dévoilais que le destin
ironique de ce message, secret par définition, était
d'être lu par un tas de gens ? Cette deuxième enveloppe
a subi le sort de la première. Elle a été ouverte

indûment. Pour attentif qu'on ait été à la recoller, il ne subsiste pas moins des traces de l'opération. Sacré Bob !... Cette fois, je crois bien que c'est lui le coupable.

— Charmantes mœurs, grogna Faroux. Cette façon de se conduire avec la correspondance privée ne lui a pas porté chance.

— Comme vous dites. Elle ne portera pas davantage bonheur à l'homme de confiance... mal placée.

— Il court toujours, soupira l'inspecteur. Et avec le magot, sans doute.

On frappa à la porte et Hubert Dorcières entra.

— L'opération s'est admirablement passée, annonça-t-il. Cette jeune fille s'en tirera.

— Peut-on l'interroger ? dis-je.

— Pas encore. Régulièrement...

— Vous avez reçu un flic en lui braquant un revolver sur les moustaches, menaçai-je. Nous ne pourrons oublier cet incident qu'en compagnie de cette fille. Nous sommes de petits passionnés.

— Comme vous voudrez, concéda-t-il, dompté. Mais immédiatement, c'est impossible. Accordez-lui quelques heures de repos.

Je me tournai vers Florimond :

— Ça va ?

— Oui. J'ai à m'occuper de quelques petites bricoles. Je vais réquisitionner votre téléphone... hum... docteur.

Je me mis à rire. Ce brave et méfiant Florimond Faroux mettait en doute jusqu'à cette qualité.

— A votre disposition, s'inclina l'autre.

Il se dirigea vers la sortie, s'immobilisa :

— Ah ! Inspecteur... Voici le projectile que nous avons extrait...

Faroux mit la balle dans sa poche et s'en fut téléphoner. Il donna des ordres à des correspondants invisibles pour relever Antoine de sa faction et pour que la chambre qu'avait louée Hélène Parry, rue Delambre, fût soigneusement visitée.

— J'ai encore le temps d'aller au commissariat, dit-il en raccrochant.

— Bon sang, pour quoi faire?

— Recueillir des renseignements. Sur ce toubib, dans le XIVe, et sur la maison de la rue de la Gare, à Montrouge. Je pourrais attendre, mais autant profiter des quelques heures qui nous séparent de notre entretien avec Mlle Parry.

— Je vous accompagne?

— Non. J'aime mieux ne pas laisser ce toubib solitaire. Tenez-lui compagnie.

Je me mis à rire.

— C'est cela. Nous parlerons du stalag.

— Oh! vous, alors... On le saura, que vous avez été prisonnier...

Il sortit.

*
**

— Décidément, dis-je quelques instants plus tard en me versant une cinquième tasse de café ersatz supérieur, décidément, mon cher Dorcières, il est écrit que nos rencontres auront toujours lieu dans des circonstances spéciales. Nous fîmes d'abord connaissance au sujet d'un chantage dont était victime votre sœur, ensuite nous nous revîmes dans un stalag, et ce soir, alors que je vous amène le joli corps de Mlle Hélène Parry à charcuter, vous manquez nous trucider...

— Je vous prie encore de m'excuser, commença Dorcières, en tressaillant.

— Là! là! n'en parlons plus, fis-je, bienveillant. J'ai donné ma parole de détective à l'inspecteur Faroux que la fable que vous nous avez balancée était exacte. Il n'y a plus à y revenir.

Son regard s'assombrit.

— La fable? Voulez-vous dire...

— Que vous êtes un foutu menteur, oui. Votre réserve n'est plus de mise, maintenant. Nous ne sommes que tous les deux. Vous pouvez vous mettre à table.

— Je n'ai rien à dire. Votre imagination bat la campagne, fit-il sèchement.

— Vraiment ? J'ai prononcé le nom de la jeune blessée : Hélène Parry, la fille du voleur de perles dont vous devez avoir entendu parler... Jo Tour Eiffel... Si je ne me trompe, vous avez sursauté.

— Vous n'êtes pas infaillible, monsieur Burma. Au risque de vous vexer, je vous assure que vous avez fait erreur.

— Eh bien ! n'en parlons plus ! fis-je conciliant. Je souhaite toutefois pour vous que vous jouissiez dans votre quartier d'une réputation d'honorabilité parfaite, car l'inspecteur Faroux est allé aux renseignements.

— L'inspecteur usera ses semelles et sa salive pour rien.

— Je n'en doute pas. Une dernière question. Vous n'êtes pas sorti, ce soir ?

— Je ne vois vraiment pas pourquoi je vous réponds. Non, je ne suis pas sorti.

Après cette passe d'armes, la conversation prit un ton anodin qu'elle conserva jusqu'au retour de l'inspecteur. Celui-ci avait l'air agité, ce qui fit froncer les sourcils au docteur. Mais l'autre s'adressa à Dorcières avec beaucoup d'amabilité. N'existant pas au monde un être incapable de dissimulation comme Faroux, j'en conclus que les renseignements touchant l'homme de l'art étaient excellents.

— On peut voir cette fille ? demanda-t-il.

— Je vais me renseigner, dit Dorcières.

Il sortit.

— Et alors, vous allez lui passer les menottes ?

Faroux haussa les épaules.

— C'est un modèle de vertu, au-dessus de tout soupçon. Vous aviez raison : il s'est seulement conduit

comme un imbécile. Mais il y a autre chose. Une
histoire que l'on m'a contée, à Montrouge. Une voiture
qui roulait tous feux éteints, pendant l'alerte, a écrasé
un bonhomme à Maison-Blanche. Relevé peu après, le
type était mort ; peut-être à cause des roues qui lui ont
passé dessus, l'autopsie l'établira, peut-être aussi à
cause d'autre chose : il avait deux balles dans le buffet.
Or, le lieu dit Maison-Blanche n'est pas très éloigné de
la rue de la Gare. Je suis allé voir le corps à Cochin.
C'est celui d'un nommé Gustave Bonnet, demeurant à
Lyon. Curieux, hein ? Il a une tête qui ne me revient
pas. Puis-je me permettre de... hum... Cette tête ne me
dit rien..., peut-être seriez-vous plus heureux...

— Vous me jurez que ce n'est pas un prétexte pour
m'éloigner pendant que vous interrogerez cette fille
tout seul ?

Il protesta avec indignation.

— Alors, je vais à l'hôpital. Faites-moi un mot pour
que je me serve de votre bagnole sans ennui.

Lorsque je revins de Cochin, Faroux devisait amica-
lement avec Dorcières.

— Alors ? fit-il vivement, sans me laisser le temps
d'ôter mon chapeau.

— J'ai vu le macchabée. Il a, en effet, une sale
bobine.

— Vous l'aviez déjà vu ?

Je répondis : « Non. » Je mentais.

CHAPITRE VIII

UN LARBIN DISPARAIT

Etendue dans le lit blanc d'une chambre pimpante, ses cheveux acajou enserrés dans une coiffe, Hélène Parry, plus blanche que ses draps, respirait faiblement.

Au contact de ma main sur la sienne, elle ouvrit lentement ses beaux yeux nostalgiques et me regarda avec étonnement. Je choisis, dans le répertoire de mes intonations, celle que je jugeais la plus douce.

— Bonsoir, mademoiselle Parry, dis-je. Un pénible devoir nous pousse à vous importuner, mais nous ne pouvons différer votre interrogatoire. Il s'agit de vous venger, comprenez-vous, et de venger Bob. Vous connaissiez bien sûr celui-ci, n'est-ce pas ? Il serait étonnant qu'il ne vous ait jamais parlé de moi, son patron, Nestor Burma.

Elle ferma les yeux, en guise d'assentiment.

— Vous étiez à la gare, dit-elle doucement.

— Oui. Et vous aussi. Pourquoi avez-vous sorti votre revolver ?

— Qu'est-ce que c'est que cette histoire ? s'emporta Faroux. Vous ne m'aviez pas dit...

— Un bouchon, Florimond. Cette enfant ne peut pas nous accorder un nombre d'heures illimité. Pourquoi avez-vous sorti votre revolver ?

— Un réflexe. J'attendais Bob. Il savait que je devais revenir dans la nuit et m'avait télégraphié de rester sur le quai. Il me réservait une surprise. J'entendis quelqu'un crier son nom. C'était vous qui l'appeliez. Il s'est précipité et... Oh ! mon Dieu...

Littéralement, Dorcières bondit. Ses mains tremblaient. Ses narines frémissaient. Il se pencha sur la patiente.

— Elle n'est vraiment pas en état de subir un interrogatoire, dit-il avec une étrange fermeté.

Je m'en rendais parfaitement compte, mais j'avais encore deux questions à poser. Le reste pouvait attendre.

— Un petit effort, mademoiselle Parry. Et d'abord, vous ne niez pas vous nommer Hélène Parry et être la fille de Georges Parry.

— Non, je ne le nie pas.

— Parfait. Vous n'êtes pas responsable des actes délictueux de votre père. Et maintenant, écoutez-moi bien et répondez avec autant de franchise. Vous avez vu l'homme qui a tiré sur Bob ?

— Oui.

— C'était le visiteur de cette nuit, rue de la Gare ?

— Oui.

— Vous le connaissez ?

— Oui.

— Son nom, rugit stupidement Faroux en se précipitant sur la jeune fille comme s'il allait l'avaler.

— Un peu de modération, gronda le docteur en lui saisissant le bras.

Le conseil était superflu. Hélène Parry balbutia : « Il s'appelle... » et retomba évanouie.

— Plus rien à faire pour l'instant, dis-je. Nous pouvons aller dormir. D'ailleurs, je sais tout ce que je voulais savoir.

L'inspecteur me regarda en dessous.

— Vous n'êtes pas difficile, proféra-t-il.

*
**

Quelques heures plus tard, après de profondes

réflexions, j'avais trouvé le sommeil, lorsque la sonnerie du téléphone m'en tira.

— Allô ! Monsieur Burma ? interrogea une voix
chantante.

— Lui-même.

— Bonjour, cher ami. Ici Julien Montbrison.

— Quelle agréable surprise ! Devenu parisien ?

— Pour peu de jours. J'ai enfin obtenu mon sacré
Ausweis. On peut se voir ?

— Cela dépend. Le travail ne me manque pas.

— Diable, dit-il, désappointé. Moi qui voulais vous
charger d'une mission.

— Laquelle ?

— Mon valet de chambre, qui a tenu à m'accomp-
gner à Paris, a disparu.

— Et vous voulez que je le retrouve ?

— Oui.

— Ne vous inquiétez-vous pas pour peu de chose.
S'il est avec une blonde ou une rouquine, comment
prendront-ils cette sollicitude ?

— Je n'ai pas le cœur à plaisanter. C'est un brave
garçon et...

— Bon. Le récepteur me fait mal à l'oreille. Venez
donc m'expliquer cela chez moi. Je prépare un bon pot.

En attendant l'arrivée de l'avocat, je téléphonai à
Faroux pour lui demander l'autorisation d'aller jeter un
nouveau coup d'œil à la maison isolée de Châtillon. Il
me l'accorda.

— Nous avons perquisitionné rue Delambre, dit-il
ensuite. Confirmation de la filiation. Des lettres et des
cartes (oh ! pas des tonnes), signées : « Ton père » et
en provenance de La Ferté-Combettes ou Château-du-
Loir. Comme nom d'expéditeur : « G. Péquet. »

— Concluant alors, hein ? A propos de faux état
civil, ne voyez je ne sais quelle ténébreuse machination
dans le fait que la fille de notre gangster en possédait
un. Vous avez compris qu'elle n'approuvait pas...
l'activité paternelle. Elle a préféré se soustraire à des

remarques désobligeantes que n'aurait peut-être pas manqué de provoquer son fâcheux et légitime patronyme si elle l'avait conservé. Et à part ça ?

— Une autre bizarrerie, mais qu'est-ce qui ne l'est pas dans les affaires auxquelles vous êtes mêlé ? Depuis le 14 qu'elle est à Paris, cette fille passe toutes ses nuits dehors, ne dormant que dans la journée. Qu'est-ce que cela veut dire ?

— Vous le lui demanderez. Quand reprenez-vous son interrogatoire ?

— Tantôt.

— Puis-je venir ? Ne réfléchissez pas deux heures avant de me répondre. N'importe comment, je serai là-bas et vous aurez du mal à vous débarrasser de moi.

Il ne répondit rien, soupira et raccrocha.

J'eus à peine le temps de prendre un bain que la sonnerie de l'entrée s'agita. C'était le corpulent Montbrison. Une fois confortablement installé, il m'expliqua son affaire.

— Ce domestique est une perle, vous avez dû vous en apercevoir à Lyon. Je serais désespéré s'il lui était arrivé malheur.

— Voilà un bien grand mot. Vous avez sans doute de bonnes raisons pour le prononcer ?

— Oui. Sachant que je devais venir à Paris, il a insisté pour m'accompagner. Sans m'en rien dire, il fit de son côté les démarches nécessaires à l'obtention d'un laissez-passer. Au moment de partir, il le produisit. Quoique assez surpris d'une pareille conduite, je lui donnai néanmoins satisfaction. Vous comprenez, c'était tout bénéfice pour moi. Même et peut-être surtout en voyage, j'aime conserver mes aises.

J'acquiesçai à ce désir légitime.

— Hier, je l'ai surpris par hasard dans un café en conversation avec un homme aux allures plus qu'étranges. Suspectes, voilà le mot. Ils parlaient d'un nommé ou d'une nommée Jo, je n'ai pas très bien compris. A mon arrivée, ils se sont séparés, se donnant

rendez-vous pour le soir même à la porte d'Orléans.
Depuis, je suis sans nouvelles de Gustave. Ce brave
garçon n'est pas très fin. Je crains qu'il ne se soit
embarqué dans une affaire louche.

— Pouvez-vous me donner un signalement de cet
individu aux allures équivoques, le nom du café où a eu
lieu la rencontre et, le cas échéant, reconnaîtriez-vous
l'homme ?

Il me répondit : « Oui », à la troisième partie de la
question et satisfit aux deux autres. Je lui promis de
m'occuper de cela, mais ne croyait-il pas que le mieux
était d'avertir la police ? C'était déjà fait, me dit-il, mais
deux précautions valent mieux qu'une. En outre, il ne
dissimula pas qu'il avait davantage confiance en moi
qu'en ces messieurs de la Tour Pointue. Je ne fis rien
pour ébranler une opinion aussi flatteuse.

— En admettant le pire, dis-je ensuite, vous ne
porterez pas le deuil de votre larbin. Je donne une
petite soirée, aujourd'hui, ici même. Noël de guerre. Il
y aura quelques jolies filles. Rien que des vedettes en
herbe. Puis-je compter sur votre présence ?

— Mais comment donc ! s'exclama-t-il. Des futures
vedettes...

Le rond avocat me quitta sur un rire significatif. Il
était trop loin pour que je songe à le rappeler lorsque je
m'aperçus qu'à part son prénom il ne m'avait pas dit
autre chose touchant l'identité de son domestique. Je
me servis du téléphone pour lancer des invitations à
mon pseudo-réveillon et je sortis. Sur les boulevards, je
me trouvai nez à nez avec le commissaire Bernier
absorbé par le bagout d'un camelot. Décidément, après
Marc et Montbrison, Bernier, tout Lyon était à Paris.
J'abattis ma main sur son épaule.

— Vous avez des papiers ? demandai-je.

A cause de la qualité du personnage, l'effet fut
tordant. Il devint pâle ; sa couperose tourna au violet.
Me reconnaissant, il se ressaisit et me secoua vigoureu-
sement le bras.

— Vous en avez, des plaisanteries, dit-il. Quoi de neuf ? Vous vous accoutumez à la vie civile ?

— Epatamment. Qu'est-ce que vous maquillez, par ici ?

— Vacances de Noël.

— Vous êtes libre, ce soir ? J'organise une petite séance, chez moi. (Je donnai mon adresse.) Honorez-moi d'une visite. Ne venez pas avant onze heures.

— C'est ça, dit-il, on fera un petit poker.

Nous bavardâmes un petit peu au zinc d'un bistrot proche. Toutes les recherches pour retrouver Villebrun avaient été vaines. Il ne fit aucune allusion à l'incident de l'agent patrouilleur qui avait aperçu de la lumière à deux heures du matin dans l'appartement de Jalome. Ce fonctionnaire me parut aimer les solutions paresseuses. Pour lui, l'agent s'était trompé et Jalome était indiscutablement l'assassin. Je n'avais aucune raison de le détromper... pour l'instant.

En le quittant, je m'en fus à Châtillon. De jour, l'aspect de la villa n'était guère plus engageant que dans l'obscurité. Le policier de garde rétablissait sa circulation en gesticulant comme un forcené. Informé de mon éventuelle visite, il me laissa fouiner un peu partout.

De cet endroit désolé, je m'en fus à la clinique de Dorcières. Le chirurgien était là. Ses traits étaient tirés et las. Toutefois, ce fut d'une voix singulièrement ferme qu'il me dit :

— Faites ce que vous voudrez, mais je ne puis me rendre complice d'un assassinat. Racontez à qui vous voudrez que je vous ai reçu revolver au poing et donnez à cet acte l'interprétation la plus fâcheuse, je m'en moque, mais vous ne verrez pas la patiente. Le peu de conversation que vous avez eu avec elle l'a terriblement affaiblie. Il vous faut attendre plusieurs jours pour recommencer.

— C'est bon. Ne prenez pas le mors aux dents. J'espère que cet ostracisme ne m'est pas personnel. Le père Faroux est logé à la même enseigne, hein ?

— Absolument. Pour rien au monde, je ne voudrais
que cette jeune fille... Oh! mon Dieu, non... pour rien
au monde... Je veux la sauver, comprenez-vous? Et
elle vivra, je vous en réponds, elle vivra...

Sa physionomie résolue exprimait une curieuse exal-
tation. Cette conscience professionnelle l'honorait.
Pourtant... il devait y avoir autre chose.

— Bon, dis-je. Comme ce poulet doit venir ici, je
vais l'attendre. Ainsi, je serai sûr que la consigne n'est
pas moins inflexible pour lui que pour moi. Cela vous
gênerait de me faire tenir quelques feuilles de papier?
J'ai l'habitude d'écrire un chapitre de mes mémoires,
chaque fois que mes loisirs me le permettent.

Je n'écrivis pas mes mémoires, mais ce qui suit :

*Colomer rencontre H. P. et une amitié, qui se change
en un sentiment plus tendre (V. Baisers, du télégramme),
les unit. Soupçonnant (déterminer la naissance des
soupçons) que Parry est vivant et qu'H. est sa fille,
Colomer, pour recueillir un supplément d'indices, n'hésite pas à intercepter la correspondance de la jeune fille.
Elle est absente lorsque lui parvient le testament. Il
l'ouvre, voit ses soupçons confirmés et recopie le cryptogramme. Dans quel but? Par jeu; par une espèce de
déformation professionnelle; pour briller aux yeux d'H.
s'il traduit, avec le secours de sa seule intelligence, ce
mystérieux document. (Ce sera évidemment faire l'aveu
de sa conduite malhonnête, mais... le juge de paix Eros
arrangera tout.) Le jour où il déchiffre le rébus, il a déjà
remis la lettre en place au domicile d'H. (Ce qui explique
que nous la trouvons sur H.) Son intention est d'entraîner H. au 120. Il est abattu à la gare.*

*Peut-on supposer que Colomer s'est aperçu que
l'enveloppe initiale n'est plus celle contenant présente-
ment la lettre? Oui. Car, pour être abattu à Perrache par
le même homme qui est venu fouiller au 120, il faut qu'il
l'ait démasqué. Comment? Il sait que c'est une connaissance d'H., la seule pouvant logiquement être en posses-*

*sion du testament. (Si Colomer ignore que l'homme a
martyrisé Parry, il sait des choses que j'ignore et qui le
mettent sur la piste sûrement.) Nous avons vu précédemment que cet X... n'est peut-être pas résolu à supprimer
Colomer. Mais il n'hésite pas, lorsqu'il voit Colomer se
précipiter vers moi. Conclusion : X... me connaît aussi.*

*Pourquoi, le rébus déchiffré, Colomer est-il si pressé
d'entraîner H.P. à Paris qu'il lui télégraphie de l'attendre
à la gare et qu'il décide de franchir frauduleusement
la ligne de démarcation ? Réponse : il ne croit pas que
l'homme qu'il soupçonne ait mis au clair le cryptogramme. Si cela était, il n'aurait pas envoyé la lettre. S'il
l'a fait, c'est dans l'intention de suivre la jeune fille qui
doit savoir de quoi il s'agit. H.P., si elle rentre à Lyon et
en repart, est donc en danger. Pour y parer, le mieux est
de la prier de ne point sortir de la gare et de la décider à
gagner Paris sur-le-champ...*

Je m'interrompis.

— Vous tirez toujours ainsi la langue, quand vous
écrivez à votre dulcinée ? demanda Faroux.

Je pliai les feuillets sans lui montrer ma prose. Je lui
dis qu'Hélène Parry n'était pas visible. Il s'emporta.

— Qu'apprendrez-vous de plus ? dis-je. N'importe
comment, le rideau se baisse sur le dernier acte, ce soir,
chez moi. Au cours du semblant de réveillon que
j'organise et auquel je vous prie d'assister, je vous
livrerai, en cadeau de Noël, l'assassin de Colomer, le
tourmenteur de Parry et le vandale de la rue de la Gare.

Il me considéra en tortillant sa moustache.

— C'est beaucoup pour un seul homme, ricana-t-il.
Mais son regard criait la confiance.

Je rentrai juste à temps pour capter un coup de fil de
cet excellent Gérard Lafalaise.

— Je ne suis pas resté inactif, me dit-il. Notre ami

était à Perrache, la nuit du meurtre. Il a réussi à forcer un barrage d'agents sans trop de mal. Il les connaissait presque tous et il ne serait jamais venu à l'idée d'un de ces braves hommes de le soupçonner. Je crois que maintenant c'est tout, hein? Mes amis haut placés commencent à s'étonner de ces fréquentes communications avec l'autre zone.

— Joyeux Noël. Embrassez Louise Brel de ma part.

CHAPITRE IX

L'ASSASSIN

Pour une belle assemblée, c'était une belle assemblée. Il y avait là, autour de mes dernières bouteilles, Sa Rondeur Montbrison, faisant miroiter ses bagues aux lumières ; Marc Covet, à qui j'avais dit qu'il pouvait préparer son stylo (il eût été le plus heureux des hommes sans ce maudit rhumatisme qui lui tenaillait la jambe) ; Simone Z..., notre future grande vedette, jolie comme elle seule sait l'être ; Louis Reboul, que je présentai à tous comme un des premiers blessés de la guerre (et c'était vrai) ; Hélène Chatelain, que j'avais décidée à venir, après bassesses et plates excuses ; un rougeaud que je présentai sous le nom de Thomas, que je donnai comme artiste peintre et qui s'appelait réellement Petit et était flic (mais cela ne se voyait pas trop). Il y avait encore Hubert Dorcières, la physionomie en papier-mâché garanti, et qu'il m'avait fallu menacer de toutes sortes de choses pour le voir accepter mon invitation. Il était le seul à ne pas rire des plaisanteries qui fusaient des quatre coins de la pièce. Mais sa présence était indispensable. J'étais persuadé qu'on aurait besoin de lui avant la fin de la soirée. Enfin, un couple insignifiant, ramassé au *Dôme* par Covet et qui n'arrêtait pas de trouver mon alcool à son goût. Sans oublier Faroux qui, d'une pièce voisine, suivait, grâce à un ingénieux dispositif, tout ce qui se passait et se disait dans le salon. Je le répète : une belle assemblée.

Après avoir fait tourner le phono, joué au jeu de la vérité (un truc où chaque participant ment comme un arracheur de dents), Simone reposa son verre qu'elle venait de vider et se tournant vers moi, en un geste plein de grâce :

— Dites-moi, Burma, si vous nous contiez une de vos aventures policières ? Vous devez en connaître de formidables.

Je jouai au modeste, me fis prier, puis, comme tout le monde commençait à scander sur l'air des *Lampions* : « Une histoire, une histoire », et que, d'histoire, je ne tenais précisément pas à en avoir avec ma concierge, j'y allai carrément de celle de Parry.

— Il était une fois, commençai-je, un gangster bien connu...

A ce passage de mon récit :

— ... Pour rendre vaines toutes les recherches, et après avoir fait croire à sa mort, il se fait artistement modeler le visage par un chirurgien esthétique ; je dois dire que le praticien réussit parfaitement dans cette entreprise et réalisa un véritable chef-d'œuvre...

Dorcières pâlit affreusement et vida précipitamment son verre. Je fus le seul à m'apercevoir de son trouble.

— ... Cet homme avait une fille...

Je racontai l'épisode du testament, l'indélicatesse de l'« ami », l'entrevue... chaleureuse entre les deux hommes, ce qui s'ensuivit...

— ... Conduit dans un camp, guéri de ses blessures physiques, le voleur est envoyé — par erreur — en Allemagne. Ses tortionnaires n'ont pas de veine. Croyant le tuer, ils le ratent et le sort veut que cet homme soit précisément expédié dans un stalag...

— ... Où, derrière les barbelés, s'étiole le génial Nestor Burma.

— Exactement, monsieur Marc Covet. Au stalag, cet homme meurt, et cette fois, pour de bon, entre mes bras pour ainsi dire. En mourant, il prononce une adresse. Fin du premier acte.

Je m'interrompis pour tendre mon verre à Simone. Elle le remplit, le vida elle-même. Il s'ensuivit une discussion que coupèrent divers cris réclamant la suite de l'histoire. Je m'exécutai, la gorge sèche.

Je narrai ma dramatique rencontre avec Colomer, la mort de celui-ci, la mystérieuse adresse revenant comme un leitmotiv funèbre. A dire d'expert, je n'avais jamais été si bavard.

— Revenons à notre homme de confiance (*sic*), dis-je. Rentré chez lui bredouille, il attend que les six mois s'écoulent et adresse par la poste le testament à la bénéficiaire. Pourquoi par la poste ? Il est certain que notre indélicat factotum devait remettre le testament de la main à la main. Il s'en abstient à cause de l'enveloppe manquante. Si la jeune fille s'aperçoit de quoi que ce soit de suspect, il aura la ressource de nier avoir jamais été le dépositaire de ce pli. La lettre ne mentionne pas le nom de l'« ami ». La lettre expédiée, il n'y a qu'à surveiller la jeune fille et la suivre. Elle conduira sûrement au magot. Ici, un léger contretemps. Cette fantasque fillette part subitement en voyage et elle est déjà dans le train lorsque le facteur dépose la lettre chez elle. Aucun rapport entre les deux faits, il n'y a qu'à attendre sans inquiétude son retour. (Le courrier que recevait Hélène Parry étant pratiquement inexistant, elle ne le faisait jamais suivre.) Le retour se produit plus tôt et à l'insu de notre homme. Et de ce retour prématuré, Colomer, qui paraît occuper dans le cœur de Mlle Parry une place précise, est au courant. Entre-temps, il a intercepté la fameuse lettre, à la recherche de preuves de la filiation Hélène-Jo Tour Eiffel. Il se rend compte qu'elle a été ouverte. Plus précisément, qu'elle n'est pas contenue dans son enveloppe initiale. Il remarque, comme je le remarquerai moi-même plus tard, le pliage irrationnel et la légère trace de cire. En outre, il note le bureau de poste expéditeur. Il s'aperçoit que c'est le plus proche du domicile du « banquier » d'Hélène Parry, c'est-à-dire de l'homme par l'intermédiaire de qui son père lui fait parvenir des subsides. (Le tortionnaire a commis, là, une imprudence aux incalculables conséquences.) Colomer recopie le cryptogramme et essaie de le traduire. Le jour où il y parvient — c'est justement celui du retour de la jeune fille — il décide de gagner la capitale avec elle. Mais son futur assassin a eu vent des soupçons de mon collaborateur. Il les surestime et décide la suppression de Colomer. Mais celui-ci — peut-être se méfiait-il instinctivement de la solitude et des rues trop obscures et désertes — ne lui permet pas de mettre son criminel projet à exécution avant d'atteindre Perrache. Peut-être l'assassin lui-même, pesant le pour et le contre d'un tel acte, est-il indécis sur la conduite à tenir ? Je ne sais... Mais ce dont je suis sûr, c'est qu'il n'hésite plus lorsqu'il voit Colomer se précipiter vers moi. En toute modestie, ma présence l'affole. Il craint les révélations de Colomer. Il tire.

« Plus tard, il apprend par son complice Carhaix-Jalome que je recherche le sosie de Michèle Hogan, l'actrice de cinéma. Dans son émoi, il commet à mon égard la même erreur d'optique qu'avec Colomer. Il surestime l'étendue de ma science et combine l'attentat du pont de la Boucle. Ayant assisté à son échec, il file chez son complice détruire tout ce qui pourrait servir à établir un lien entre cet homme et lui. Il sait qu'une des théories chères à la police lyonnaise est la vengeance. Il laisse l'arme du crime de Perrache. Découverte au domicile d'un ancien comparse de Jo et de Villebrun, elle ne pourra qu'incriminer celui-ci. Et ainsi, il parvient à abuser la police... et, apparemment, moi-même.

« Cette affaire semble donc réglée. Notre homme n'a plus qu'à aller cueillir l'héritage car, maintenant, il en connaît l'emplacement. Je suppose qu'il a entendu l'adresse criée par Colomer en mourant. Cette adresse lui est une révélation. (N'oublions jamais les fonctions

de cet X... auprès de Jo Tour Eiffel. C'est lui qui achète
le Logis Rustique, lui encore qui engage la domesticité,
etc. C'est un administrateur, un factotum, je l'ai dit
tout à l'heure...) Est-il téméraire de soutenir que cette
adresse est celle d'une maison achetée jadis par Jo,
revendue ensuite et à laquelle son tourmenteur ne
songeait plus, du fait de sa revente ? De sa revente à un
homme de paille, par exemple, ce qui la fait rester, en
fait, la propriété du gangster. Ainsi cet endroit pourra
servir de cachette et être à l'abri d'éventuelles investigations d'ennemis. (Les hors-la-loi ne sont jamais sûrs
de personne.) Le calcul de Jo s'avère juste ; son homme
d'affaires s'y laisse prendre à qui la lecture du testament
n'apprend rien. Bon. Notre X... arrive hier à Paris,
visite la fameuse maison, fouille partout et ne trouve
rien. Il y retourne la nuit. Pourquoi ? Parce qu'entre-
temps, une idée lui est venue. Jusqu'à présent, il a
cherché des cachettes compliquées. Mais il songe à
Edgar Poe et un trait l'illumine. *La Lettre volée*, des
Histoires extraordinaires, que tout semble désigner,
vous en conviendrez, à marquer de son signe une telle
aventure... La cachette la plus sûre est la plus simple, la
plus visible... Il retourne à la maison abandonnée, fait
subir à sa théorie le feu de l'épreuve. Suivi d'un autre
complice, participant certain au drame de la Ferté-
Combettes et qui a trop de confiance en son chef pour
le lâcher d'une semelle, X... trouve le magot. Alors,
son compagnon tire sur lui et le manque. La balle
traverse un rideau et blesse gravement une personne
qui se trouve derrière. X... riposte et ne manque pas
son adversaire. Nous savons depuis Perrache qu'il est
remarquablement adroit. L'autre réunit ses forces pour
s'enfuir dans la nuit. Le black-out est absolu, la nuit
d'encre. La neige, boueuse et fondue, n'offre plus le
tapis immaculé sur lequel les silhouettes se détachent
aisément. A la faveur de cette obscurité, il échappe à
son poursuivant, mais s'écroule bientôt au milieu d'une

route où l'écrase une voiture roulant tous feux
éteints. »

Je m'arrêtai. L'assistance attentive était suspendue à
mes lèvres.

— Or, repris-je, en en faisant le tour du regard, cet
X..., plusieurs fois assassin, est ici.

Cette assertion provoqua parmi mes invités ce qu'en
termes parlementaires on nommait : mouvements
divers.

— Oui, répétais-je, l'assassin est ici. Lequel est-ce
d'entre vous ? On peut se faire une vague idée du
personnage. Il connaît Colomer, il connaît l'héritière et
il connaît votre serviteur. D'après certaines remarques
que j'ai pu faire au Logis Rustique, il se servirait
volontiers de la main gauche. En effet, alors que le
patient était ligoté sur son fauteuil, il reçut divers coups
de poing sur la joue droite. A un moment, il dut
esquiver un coup, écarta la tête et le poing du tortionnaire, érafla le fauteuil. A gauche, en regardant le
meuble. Quels sont les individus qui se servent de la
main gauche ? Les gauchers, évidemment... mais aussi
les amputés du bras droit, par exemple, tonnai-je.

Tous les regards convergèrent vers Louis Reboul. Il
esquissa un faible sourire, gêné. Il n'était pas beau à
voir.

— Et pour l'attentat du pont de la Boucle ? enchaî-
nai-je. M. Marc, que j'avais envoyé en avant, ne
paraissait pas lutter avec toute la vigueur désirable.
Jouait-il la comédie ?

— Je vous défends de parler ainsi, jeta Marc,
cramoisi, en abandonnant le divan. Vous n'êtes qu'une
espèce...

— Fermez ça. Il y a des dames. Continuons plutôt
notre tour d'horizon. Marc Covet est-il gaucher ? Chère
amie, ce brillant journaliste est-il gaucher ?

— Non, monsieur, fit étourdiment la Montparnas-
sienne brune en rougissant.

Personne n'éprouva le besoin de rire. Une atmosphère de gêne planait dans la pièce. A ce moment, plusieurs de mes invités sursautèrent. Le timbre de la porte d'entrée résonnait.

— Allez ouvrir, dis-je à Reboul, et n'en profitez pas pour vous débiner.

Il ne se débina pas et revint en compagnie du commissaire Bernier. La pendule sonna onze heures.

— Exact au rendez-vous, observai-je pendant que Reboul le débarrassait de son pardessus et de son chapeau. Mon cher policier, êtes-vous toujours persuadé que l'assassin de Colomer et l'homme qui tenta de me précipiter dans le Rhône soient une seule et même personne du nom de Jalome, alias Carhaix, décédé ?

— Mais... bien sûr, voyons, balbutia-t-il, interloqué. Qu'est-ce que cela signifie ?... Vous en faites des gueules. Vous veillez un mort ?

— Presque.

— Je venais pour m'amuser, moi.

— Précisément. Au jeu de la vérité. Je m'amuse comme une petite folle. Je vais vous présenter l'assassin... qui se porte comme un charme, bien vivant et pas spectral pour un sou. Vous pourrez lui serrer n'importe quelle main ; il est ambidextre... Je vous ai parlé d'une éraflure du fauteuil, dis-je, en m'adressant à tous. C'est un incident très important. En frappant Jo, l'homme a détérioré une de ses bagues et perdu un brillant. Maître Montbrison, voulez-vous être assez aimable pour montrer la chevalière de mauvais goût qui orne votre annulaire gauche, afin que nous comparions les brillants ?

— Volontiers, fit-il sourdement, en avançant. (Son ensorcelant sourire de jeune premier un peu fat se jouait sur ses lèvres.) Volontiers.

Il y eut des cris de femmes, des jurons, une bousculade, deux coups de feu. Il tirait à travers la poche gauche de son veston. Je ressentis une vive brûlure au bras droit. Tandis qu'une balle crevait la toile d'un Magritte, l'autre avait ricoché sur l'armure que j'abritais sous mon gilet et dont je m'étais muni en prévision d'un intermède de ce genre.

CHAPITRE X

LE COMPLICE

Lorsque le tumulte se fut apaisé, j'aperçus Hélène Chatelain à mes côtés. La première, elle s'était précipité pour me soigner. Ses yeux inquiets témoignaient qu'elle ne me tenait plus rigueur de mes injustes soupçons. C'était une chic fille.

— Ne vous avais-je pas prévenu qu'on aurait besoin de vous ? dis-je à Dorcières. Cela n'avait pas l'air de vous enchanter...

— C'est-à-dire que... Faites voir ce bras, coupa-t-il, bourru. Ce ne sera rien, dit-il ensuite.

Sur une chaise, encadré par Faroux, qui avait abandonné sa cachette, et le commissaire Bernier, maître Julien Montbrison, le cabriolet aux poignets, faisait jouer ses doigts sous la lumière. L'acier poli des menottes et les bagues de rasta rivalisaient d'éclat. « Thomas » avait disparu.

Malgré la douleur, je n'avais pas lâché la petite pierre. Quelqu'un, je ne sais plus qui, l'approcha de la chevalière aux brillants dépareillés. Elle était d'un volume égal, d'une même limpidité que les brillants originaux et taillée pour épouser la sertissure. Il n'y avait pas d'erreur possible.

— Vous n'auriez pas dû tirer, dis-je, doucement.

— Réflexe idiot, dû à mon exaspération, convint-il avec bonne humeur. J'ai cru pouvoir sauter avec vous.

J'aurais dû penser que vous aviez pris vos précautions...
Vous me soupçonniez depuis le début ?

— La règle du jeu le voudrait, hein ? Eh bien ! non !
Je ne commençai à vous soupçonner sérieusement
qu'après l'attentat manqué de Jalome. Lorsque à trois
heures et demie, la nuit de l'attentat, Lafalaise, Covet
et moi visitâmes son domicile... Je vous expliquerai,
commissaire, dis-je à Bernier, qui roulait de gros
yeux... J'étais resté un certain temps sans fumer. Ma
blague était vide, bénie soit cette pénurie passagère, et
ayant les cigarettes en horreur, je n'en solliciterais
aucune de mes compagnons. J'entrai le premier dans
l'appartement et décelai une odeur particulière de
tabac blond. Je remarquai en outre que le cendrier
contenait des résidus d'allumettes. Avaient-ils été lais-
sés par Jalome avant son départ en expédition, ainsi
que l'odeur de tabac ? Celle-ci était trop violente pour
ne pas être récente et si Jalome fumait (on découvrit
plus tard un paquet de Gauloises dans ses poches) il
n'usait pas d'allumettes. Il n'y en avait pas trace chez
lui, sauf dans le cendrier, et la présence de nombreuses
fioles de combustible spécial pour briquet laissait
clairement entendre qu'il se servait de préférence de cet
ustensile. Donc, quelqu'un d'autre que Jalome avait
séjourné dans l'appartement de celui-ci. Qui ? Un être
qui fumait du tabac blond... Auquel sa passion de tabac
ne laissait aucun répit pour qu'en de telles circonstances
il ne se soit pas abstenu... Où avais-je déjà reniflé
semblable odeur ? Chez vous, Montbrison, et chez vous
seulement... Et alors, certaines particularités et anoma-
lies, auxquelles je n'avais pas encore attaché l'importance désirable, me revinrent en mémoire. Ce fut
d'abord moins le fait que vous vous soyez présenté à la
police avec vingt-quatre heures de retard (le temps,
n'est-ce pas, de débattre s'il était ou non politique
d'avouer connaître Colomer ?) que l'esprit même de
votre déposition. Je veux parler de la description que
vous faisiez de ce malheureux Bob. A la gare, il ne

m'avait pas paru affolé. Et vous me le dépeigniez sous le coup d'une violente émotion, de la peur, de la crainte d'une vengeance, que sais-je encore... sans oublier l'allusion à la drogue. Comme si un homme qui nourrit une passion si funeste n'en porte pas le stigmate sur sa physionomie. Et nul besoin d'être médecin pour le déceler. Sur ce chapitre, vous faisiez vraiment preuve d'une ignorance suspecte. D'autant plus suspecte que vous usiez de l'expression consacrée : état de besoin et que, pour désigner la maladie de la vue dont vous êtes atteint, vous citiez le terme barbare d'amblyopie.

— Qu'est-ce que c'est que cette bête ? dit Faroux.

— C'est, produite par l'intoxication nicotinique, une demi-paralysie du nerf optique. Il s'ensuit une corruption des couleurs débutant généralement par la confusion entre le bleu et le gris. D'où la spirituelle repartie de cet homme à ma demande : « Colomer avait-il une frousse bleue ? » « Je ne saurais dire. Je suis amblyope. » Atteint de cette grave affection, il n'en continue pas moins de fumer beaucoup car il est — et lui réellement — une espèce de drogué. Plus que tout, le tabac lui est nécessaire. Une preuve : Montbrison, que j'ai connu jadis friand de liqueurs et d'alcools, s'est laissé surprendre par les événements et n'a fait aucune provision de liquide. Par contre, il a stocké des Morris, ses cigarettes de prédilection. Et ces Morris vont le perdre. Ce sont elles dont je hume le parfum dans le logis de Jalome. Parfum que je retrouve chez vous, Montbrison, lorsque, m'étant abstenu de fumer pendant plusieurs heures pour avoir les sens moins émoussés, je viens vous voir... Pour prendre conseil, dis-je, en réalité, pour prouver olfactivement et *de visu* la solidité de mes soupçons. Il n'y avait pas à se tromper. La cigarette que vous fumiez répandait cette odeur qui commençait à m'être familière. Négligeons le fait que votre cendrier, pas encore nettoyé par le valet ou *déjà rempli*, débordait de bouts d'allumettes, les mêmes que chez Jalome, des allumettes plates, de couleur. Elles ne

sauraient constituer de suffisantes pièces à conviction.
Mais j'observai que vous ne paraissiez pas avoir passé
une bonne et reposante nuit. Je ne crois pas faire erreur
en soutenant que vous ne vous êtes pas couché, anxieux
que vous étiez de savoir comment tout cela allait
tourner. Certes, vous aviez revêtu une robe de chambre, mais vos mains, *avec leur bijouterie au complet,*
étaient froides et malpropres, du froid et de la malpro-
preté des insomnies. Les nuits blanches font les mains
noires, dirai-je si vous me permettez d'introduire un
brin de poésie dans cet aride exposé... Vous avez dû
éprouver une sacrée frousse en me voyant rappliquer
de si bonne heure, mais vous avez courageusement fait
face au danger et j'imagine votre soulagement lorsque
vous avez compris (ou cru comprendre) que ma démarche ne revêtait aucun caractère hostile. Or, en saisissez-
vous l'ironie ? C'était au moment où vous recouvriez
relativement votre tranquillité que mes soupçons se
précisaient. Certes, ce n'étaient pas là des preuves
objectives d'une force convaincante telle qu'elles soient
présentables à un jury, mais, enfin, je cherchais pour
l'heure moins à convaincre un tribunal qu'à dénicher un
début de piste et vous avouerez que, jointes à certains
agissements de votre part qui ne paraissaient pas très
catholiques à mon esprit soupçonneux, cela commençait à former un coquet faisceau de présomptions. Par
agissements peu catholiques, j'ai en vue, par exemple,
l'insistance que vous aviez manifestée quand, sortant
passablement éméché du restaurant, vous voulûtes
m'offrir l'hospitalité. Je déclinai cette généreuse invitation. Alors, vous avez tenu à m'accompagner à l'hôpital. Il faisait froid. Une telle promenade n'avait rien de
folichon, même pour un homme soûl. Il fallait que vous
eussiez un motif puissant pour l'entreprendre. Si Marc
Covet n'avait pas suivi le mouvement, serais-je ici à
jouer les Sherlock Holmes ?

   En guise de réponse, il émit un petit rire cynique et
observa :

— Vous savez, entre nous, votre théorie de bouts de bois, de mégots et de cendre de cigarettes ne prouve pas grand-chose.

— En temps ordinaire, peut-être. Mais nous vivons des temps exceptionnels. Les Philip Morris ne courent pas les rues, je m'en suis convaincu en faisant la tournée des trafiquants du marché noir. Ils m'ont proposé du sucre, du lait concentré, des éléphants, des éditions originales, mais des Morris, même à cent francs la cigarette, ils n'en avaient pas. Vous avez fait vos provisions à temps... mais je doute qu'elles vous soient, maintenant, de quelque utilité... Donc, c'était vous qui étiez dans l'appartement de Jalome lorsqu'un agent remarqua de la lumière à l'étage. Vous avez un domestique qui tire les rideaux pour vous. Vous n'avez pas songé à faire ce geste en entrant chez votre complice. Vous ne répondez pas à ce policier lorsqu'il sonne et je ne vous en blâme pas...

Je me désaltérai, puis :

— Enfin, avant de constater sur la lettre envoyée à Hélène Parry la présence du timbre de la poste la plus proche de votre domicile, mon voyage à La Ferté-Combettes m'éclaira définitivement. Je découvris d'abord que le nom de ce bled ne m'était pas inconnu. Je me souvins l'avoir entendu prononcer par M. Arthur Berger, le correspondant de guerre, qui vous y avait rencontré le 21 juin, jour où Georges Parry a été torturé, laissé pour mort, fait prisonnier et où vous-même avez été légèrement blessé par une balle perdue. Ensuite, je relevai quelques traces de votre passage, le brillant en question et les souvenirs du père Mathieu qui n'aura aucun mal à vous reconnaître. Ce ne sont pas les témoins qui manquent. Il y a encore Hélène Parry. Elle était à deux mètres de vous, à Perrache, lorsque vous avez tiré...

— Nom de Dieu ! cracha-t-il.

— Tout à votre... travail et la croyant bien loin de là, il est normal que vous ne l'ayez pas remarquée. Il y a les

agents de la rafle qui vous ont ingénument laissé la voie
libre. Ils vous connaissaient. (Ne vous êtes-vous pas
vanté à moi-même de connaître de nombreux policiers
en tenue?) Comment soupçonner une personnalité
dans votre genre d'être l'auteur d'une fusillade? Surtout que, obnubilés par la hantise du crime politique,
ces bons bougres devaient écarquiller les yeux à la
recherche d'un type à la barbe en broussaille et au
couteau entre les dents...

Je fus interrompu par la sonnerie du téléphone qui
stridulait.

— On demande l'inspecteur Faroux à l'appareil, dit
la personne qui avait décroché.

— Allô! hurla Florimond, c'est toi, Petit? Très
intéressant, dit-il, en raccrochant. J'ai envoyé Petit à la
Boîte avec le pétard saisi sur ce type. Ils viennent de
découvrir que les balles qu'il tire sont identiques à
celles que l'on a trouvées cette nuit dans le buffet du
nommé Gustave Bonnet.

— En voilà un que j'oubliais, m'écriai-je. Bonnet.
Gustave Bonnet. Le domestique — l'autre complice —
de Montbrison. Le cher maître m'a appris ce matin,
témérairement, que son valet avait disparu. Il m'a
raconté une histoire marrante. Cette tactique de prendre le taureau par les cornes ne lui a pas réussi. Je m'en
voudrais de vous accabler, Montbrison... Vous vous
êtes montré beau joueur... La façon d'accepter mon
invitation à cette véritable surprise-partie le prouve...

— Je n'imaginais pas qu'elle tournerait à ce point à
ma confusion, avoua-t-il.

— Petit m'a appris autre chose, continua Faroux. Ce
Bonnet avait aussi un revolver en guise de porte-
bonheur. C'est lui qui a tiré la balle qui a failli tuer
Hélène Parry.

— Vous remercierez cette arme de ma part. Elle
confirme ma théorie.

Je me tournai vers l'avocat.

— Et ce magot, dis-je, posément, où est-il?

— Pas trouvé, répondit-il.

Je pris un ton de reproche.

— Allons, allons... Moi qui parlais de franc jeu, il n'y a qu'un instant. Ce n'est pas chic. Evidemment, je vous comprends... Perdu pour perdu, hein ? qu'il le soit pour tout le monde... Cela ne fait pas mon affaire. Vous avez peut-être ce trésor sur vous. Je vais me voir dans l'obligation de vous faire fouiller... Cela devrait être fait depuis longtemps, d'ailleurs, terminai-je en m'adressant plus particulièrement à l'homme de la Tour Pointue.

Devançant Faroux, le commissaire Bernier procéda sans ménagements à cette opération.

— Rien, dit-il, ensuite, avec déception.

— Et cela ? fis-je, en désignant de ma main valide, parmi les objets extraits des poches de l'avocat, un flacon disparaissant à moitié sous le mouchoir de l'homme.

C'était une fiole malpropre, à moitié pleine de pilules rugueuses, revêtue de l'étiquette rouge réglementaire indiquant que le contenu est toxique.

— Sapristi, s'exclama-t-il, en s'en emparant vivement, sapristi, il y a là de quoi empoisonner un régiment !

J'éclatai de rire.

— Edgar Poe, dis-je. J'ai découvert sur le marbre d'une cheminée de la maison de Châtillon, parmi d'autres bouteilles d'encre, de colle, etc. l'étui de carton de cette fiole. Le couvercle en était levé, mais depuis peu, l'intérieur n'était pas poussiéreux. Ce sont là les économies de Jo Tour Eiffel.

— Des pilules empoisonnées ?

— Oh ! certes, elles sont mortelles. Mais pas par absorption.

Je priai mon ex-secrétaire de dévisser le bouchon de la fiole. Elle fit glisser une pilule dans le creux de sa main. Sur mes instructions, elle la gratta avec un canif. La carapace de plâtre fut bientôt réduite à rien. Alors nous apparut une perle qui, une fois nettoyée, s'avéra du plus bel orient.

— Il y en a une cinquantaine dans ce flacon, dis-je. Cela doit aller chercher dans les je ne sais combien de millions !

*
**

— Aviez-vous deviné ce qu'était le document annexé au testament et égaré par l'expéditeur ? demanda Faroux.

— Ah ! ce que j'imaginais être un plan ? Non. Mais, à présent, nous pouvons supposer sans crainte d'erreur qu'il s'agissait d'une image destinée à mettre Hélène Parry sur la voie de la cachette... Une image représentant un flacon, par exemple... Une image découpée dans une page de ce catalogue dont une autre feuille servit à mon ami Bébert à confectionner un cornet pour ses mégots...

Quelques instants plus tard, Montbrison, qui semblait avoir reconquis son sang-froid (s'il l'avait jamais perdu), nous apprit, sur le ton d'une conversation mondaine, en quelles circonstances il avait fait la connaissance de Parry. Tout simplement lorsque, plusieurs années auparavant, il était le secrétaire du défenseur du gangster. (Je savais déjà tout cela depuis mes recherches à la Nationale.) Apte à juger les individus, Jo Tour Eiffel l'avait tout de suite remarqué et vu le parti qu'il en pouvait tirer. Il me parla ensuite de Jalome.

— Il était avec nous au Logis Rustique. Il connaissait Hélène depuis toujours. Ils sortaient quelquefois ensemble. Il lui avait dit s'être définitivement rangé. Cette fille de bandit est honnête ; rien ne lui répugne davantage que les hors-la-loi...

— Ça ne l'empêchait pas d'accepter l'argent mal acquis...

Il haussa les épaules.

— Parce qu'elle n'avait aucun métier et qu'il faut

bien vivre... Elle attendait d'avoir décroché ses diplômes pour subvenir elle-même à ses besoins... Vous dites qu'elle était dans la maison de Châtillon... Si elle y cherchait son héritage, ce n'était certainement pas dans l'intention de le conserver...

On frappa à la porte. C'était un chauffeur de la P.J. Il venait prendre livraison du colis, selon son expression élégante.

Un sourire ironique aux lèvres, Montbrison s'inclina devant tous et, escorté des policiers, se dirigea vers la sortie. Ce fut alors qu'il glissa et s'étala de tout son long. Comme cette chute se produisait au moment précis où l'agent en uniforme ouvrait la porte, Faroux crut à une feinte, une tentative quelconque de fuite. Il se jeta sur l'avocat et le ceintura, décidé à ne plus le lâcher. Ce faisant, il envoya dans ma direction une sorte de petite bille, l'objet même sur quoi l'assassin avait dérapé.

Intrigué, je la ramassai. C'était une boule blanche, semblable à celles du flacon. Où était donc celui-ci ?

— Dans ma poche, répondit l'inspecteur à ma question.

— Sortez-le.

Il obéit. Le couvercle était toujours solidement vissé.

Alors, un vertige me saisit. Je compris en un éclair que la maladresse et la cornichonnerie pouvaient parfois être autre chose que...

Je n'avais pas le temps d'examiner si la théorie qui germait avec une rapidité tropicale dans mon esprit était ou non erronée. La porte était ouverte. Il fallait faire vite. Risquant ma réputation et ma liberté sur une intuition fulgurante, j'assurai mon revolver dans ma main valide, le braquai sur le groupe et dis d'une voix tremblante :

— Faroux, mon vieux, vous est-il déjà arrivé d'appréhender un de vos supérieurs ?

*
**

— Bernier était un joueur, dis-je quelques heures plus tard devant un auditoire restreint mais attentif. Lors de notre première rencontre, à l'hôpital, il était en habit de soirée. Il sortait d'un tripot. A mon retour à Paris, Faroux me demanda si le commissaire Bernier dont je lui parlais était celui qu'il avait connu dans le temps. Le signalement qu'il m'en fournit était conforme à celui du personnage. Il me raconta qu'il avait été déplacé à cause de certaines histoires louches. Il ne s'était maintenu à son poste que grâce à ses relations politiques. Pour l'argent, nécessaire à la satisfaction de sa passion, il accepta, sur la proposition de Montbrison, connaissance de cercle, de trahir son devoir, de faire dévier l'enquête, d'étouffer l'affaire. Il accepta les yeux fermés la version de l'avocat, voulut me la faire partager, fit tout ce qu'il put pour me convaincre de la culpabilité de Jalome, poussa le raffinement jusqu'à me permettre de l'accompagner au domicile de celui-ci, afin que j'assiste à la découverte du revolver, essaya de me faire prendre Lafalaise pour ce qu'il n'était pas et n'accorda volontairement aucun crédit au témoignage de l'agent patrouilleur qui avait aperçu de la lumière dans l'appartement de mon agresseur. Comme, de mon côté, j'avais fait preuve de ma réserve habituelle, il ignorait que je savais pas mal de choses. Montbrison aussi et c'était pourquoi ils acceptèrent sans méfiance mon invitation, qui, en soi, n'avait rien d'extraordinaire. C'est Noël... Et ils étaient loin de se douter de ce qu'un K.G.F. affaibli (ils ont commis l'erreur de croire que j'étais revenu de captivité entièrement gâteux) leur réservait.

« Lorsque l'avocat glissa sur la perle, je me demandai d'où sortait celle-ci. Pas du flacon, puisqu'il était toujours solidement bouché. Et pourquoi ce flacon n'était-il pas plein ? Fallait-il songer à un autre complice, présent chez moi, qui, lesté de sa part du butin, aurait par mégarde, en ôtant son pardessus par exemple, laissé tomber une de ces perles ? Chacun de mes invités s'était débarrassé lui-même de son vêtement dans l'entrée ; un seul, Bernier, avait enlevé son imperméable devant nous et Reboul, le pliant sur son bras, l'avait emporté vers la penderie. C'est pendant ce court voyage que, le tube contenant les perles étant mal bouché, une de celles-ci tomba sur le tapis de l'entrée. A part Covet, vieil ami de toujours, au-dessus de tout soupçon et que je n'avais taquiné au cours de la soirée que par cabotinage et pour dérouter et énerver le vrai coupable, le seul autre Lyonnais présent était Bernier. Bernier que rien de spécial n'appelait à Paris pour les fêtes (il n'y a pas de parents et ses collègues du Quai lui battent froid), Bernier qui s'était empressé de fouiller Montbrison et essayé de dissimuler sa découverte du flacon... Un flacon qui, pourtant, devait attirer l'attention d'un policier... Je compris également le sourire sardonique et nullement inquiet de l'avocat lorsqu'il prit congé de nous tous. L'affaire de Perrache devant être jugée à Lyon, il comptait sur Bernier pour favoriser une évasion. Toutes ces choses, si longues à exposer, défilèrent dans mon cerveau en l'espace de quelques secondes. Sans plus réfléchir, je risquai le tout pour le tout...

— Et on trouva, dit Hélène Chatelain, l'autre partie du magot sur cet individu.

CHAPITRE XI

LE PREMIER MEURTRE

Le lendemain, Hélène et moi allâmes à la clinique constater l'amélioration sensible de l'état de l'homonyme de ma secrétaire. Il faisait une belle journée claire. Un soleil joyeux faisait scintiller la neige. Je pensai à ce pauvre Bob qui aimait tant les sports d'hiver.

— C'était un brave garçon, ce Colomer, dis-je. Blessé à mort et ne réalisant pas bien par qui, il ne pense qu'à une chose : me faire bénéficier de sa science touchant Georges Parry, d'où son avertissement : « 120, rue de la Gare », comptant sur mon ingéniosité pour tirer le maximum de cette indication...

— Oui, dit Hélène. L'Agence Fiat Lux perd gros en le perdant.

A la clinique, Hubert Dorcières, informé de notre arrivée, se précipita vers nous, rajeuni de dix ans.

— Nous l'avons sauvée ! s'écria-t-il. Sauvée, sauvée. Elle vivra. Quelle joie, quelle joie !...

Il nous serra la main avec chaleur, comme si nous étions responsables de cette réussite de l'art chirurgical et nous conduisit au chevet de la malade.

— Bonjour, petite fille, dis-je. Alors, on est absolument hors de danger ? Vous m'en voyez très heureux. Surtout que, métier oblige, j'ai encore quelques questions à vous poser.

— Encore ! soupira-t-elle.

Sa voix était douce, harmonieuse et émouvante.

— Presque rien. Je voudrais savoir...

En substance, elle nous fit le récit suivant :

Lorsqu'elle avait vu Montbrison tirer sur Bob, elle avait sorti son revolver, obéissant à un réflexe pour ainsi dire atavique et à des sentiments complexes — désir de venger Colomer et crainte de voir l'avocat la prendre pour deuxième cible. Geste dérisoire, si l'on voulait bien concevoir que cette arme qu'elle faisait suivre par fanfaronnade et gaminerie avait son cran de sûreté en place depuis si longtemps qu'il n'était plus manœuvrable. Elle avait réussi à quitter la gare en profitant d'un passage où aucun barrage n'était encore établi. Rentrée chez elle, elle y trouvait le testament et comprenait immédiatement qu'il s'agissait de la villa de Châtillon dont Colomer avait crié l'adresse en mourant. Elle ne comprit pas comment il avait su deviner cela. (Pour ne pas ternir la mémoire du mort, je ne le lui expliquai pas.) Elle prit le premier train pour la ligne qu'elle franchit en fraude. Depuis qu'elle était à Paris, elle passait ses nuits — les visites diurnes pouvaient éveiller l'attention — dans cette demeure à la recherche du trésor. Non pour se l'approprier, mais pour le remettre secrètement à la police. Le soir où nous l'avions trouvée blessée, elle avait constaté en arrivant que les portes étaient forcées et qu'on avait sauvagement fouillé la maison dans la journée. Plus tard, entendant le retour des visiteurs, elle s'était cachée dans le petit réduit. Elle avait reconnu Montbrison et son valet. Le reste s'était déroulé comme je l'avais imaginé.

— Ce cauchemar est terminé, dis-je, en lui caressant sa main fine. Aviez-vous dévoilé à Colomer votre véritable identité ?

— Non.

— Il l'a soupçonnée. Savez-vous comment ?

— Sans doute une photo de père qu'il a dû remarquer chez moi. Et puis, un jour, j'ai commis une gaffe...

— Laquelle ?

— Je suis née le 10 octobre 1920 et non le 18 juin 1921. Le 10 octobre dernier, Bob, sans aucune idée de derrière la tête, du moins je le suppose, m'a apporté des fleurs. Je l'ai remercié vivement, lui ai dit que c'était gentil d'avoir pensé à me souhaiter mon anniversaire. Je me suis reprise aussitôt et ai inventé une histoire à dormir debout. Cela a dû lui paraître étrange...

— Probable. Et comme certains articles de journaux — je ne parle pas des coupures trouvées en sa possession, mais d'autres textes moins succincts, tels ceux que j'ai lus à la Bibliothèque nationale — mentionnaient l'existence d'une enfant et donnaient, entre autres détails, sa date de naissance, il a vu ses soupçons confirmés.

Nous gardâmes un instant le silence. Je le rompis en disant :

— Que ferez-vous en sortant d'ici ?

— Je ne sais pas, répondit-elle, avec lassitude. (Ses yeux magnifiques étaient plus troublants que jamais.) Je crains que votre ami l'inspecteur ne veuille s'occuper de moi... Faux papiers...

— Ta ! ta ! ta ! Il passera la main. Vous sortirez d'ici sans être inquiétée. Et si quelque chose cloche, venez me voir.

— Merci, monsieur Burma. Bob m'a souvent parlé de vous. Il me disait que vous étiez un chic type.

— Cela dépend des jours, souris-je. Mais, pour vous, je serai de bonne humeur tant qu'il faudra. Le sort est curieux. Les ex-ennemis de votre père seront désormais vos meilleurs amis.

Lorsque nous la quittâmes, ses beaux yeux, aux profondeurs nostalgiques, étaient humides.

Dorcières tint à nous reconduire jusqu'à la porte de la rue. Dans ses mains effilées de chirurgien, il broya les nôtres. Il n'avait plus la morgue hautaine que je lui avais connue au stalag. Un autre homme. Tout son être exprimait la plus grande émotion.

— Quelle joie ! monsieur Burma, quelle joie ! L'avoir sauvée. Combien je vous remercie de m'avoir amené cette blessée... Mon Dieu... il fallait que je la sauve... et je l'ai sauvée...

— Fichtre ! ricana Hélène Chatelain, en tournant le coin de la rue, ce M. Dorcières est bien exalté. L'amour ?

— Non.

Je lui saisis le bras et l'immobilisai.

— Non, répétai-je. A propos, cette histoire va me faire une publicité avantageuse. J'ai envie de rouvrir l'Agence. Etes-vous disposée à plaquer Lectout ?

— Et comment ! s'exclama-t-elle, avec une joie sincère.

— Alors, je puis tout vous dire. Et vous comprendrez pourquoi ce chirurgien est si heureux d'avoir sauvé cette fille. Combien croyez-vous qu'il y a de morts, dans cette affaire ?

— Deux. Colomer et Gustave, le larbin... Ah ! il y a aussi Jalome. Je crois que c'est tout.

— Vous oubliez le principal cadavre... Georges Parry.

— Mais sa mort fut naturelle ?

— Non. C'est Dorcières qui lui a fait une piqûre de sa composition.

Hélène ne cacha pas sa stupéfaction et faillit pousser un cri.

— C'est lui le chirurgien qui a maquillé Parry, continuai-je. Il m'a tout avoué cette nuit. Il avait accepté d'intervenir par orgueil et curiosité scientifique. L'opération réussit brillamment. Mais Parry n'était pas plus régulier que son homme de confiance : Montbrison. Pour marquer sa gratitude au chirurgien, i lui souffla sa maîtresse. (Nous ne savons ce qu'es devenue cette femme.) Fou de rage, Dorcières n pouvait se venger. Dénoncer Jo, c'était se dénoncer soi-même, perdre sa situation, son honneur. D'autre part, il n'était pas enclin, pour les mêmes raisons, à attirer le gangster dans un guet-apens et à le trucider. Mais le sort est curieux, j'en ai fait l'observation il y a quelques minutes. Le hasard met Dorcières en présence de son heureux rival au *Lazarett* du stalag. A sa merci, absolument. L'homme n'est qu'un matricule dont la mémoire a sombré. L'occasion est inespérée. Mais, attention... Il y a, au camp, un homme à ne pas négliger. Cet homme c'est...

— ... Mon intelligent et subtil patron...

— Pas en chair, mais en os. Que sait Nestor Burma sur cet amnésique ? Le meilleur moyen de s'en rendre compte est d'avoir un entretien avec lui. Et c'est pourquoi Dorcières, qui m'a reconnu depuis longtemps sans juger bon de renouer relations, m'aborde... spontanément. Notre conversation ne l'éclaire pas beaucoup. Mais, lorsque je lui demande de me procurer une place au *Lazarett,* il accueille cette requête avec un évident déplaisir. Il promet et ne s'occupe de rien. Je réussis tout de même à me faire embaucher à l'hôpital. Tant que je serai là, il ne tentera rien contre Parry. Et c'est le jour où je m'absente qu'il commet son...

— Son crime ?

— J'hésite à employer ce mot parce que Jo Tour Eiffel en avait assez fait pour mériter une telle fin. Et puis, un amnésique... En somme, c'est un autre service qu'il lui a rendu...

— Vous avez toujours une admirable façon de considérer les choses.

— Je suis plus cynique que ce toubib, en effet. Car lui, depuis ce jour, est bourrelé de remords. Il en perd le boire et le manger. Il est prêt à toutes les bêtises. Et il en commet une, que j'atténue fort heureusement, l'autre soir. Je fais allusion à la surprenante réception qu'il nous réserve lorsque nous forçons sa porte. Il me l'a dit : lorsque le valet a annoncé Burma et un inspecteur de police, il s'est imaginé que je savais tout et que nous venions l'arrêter.

— Et il a essayé de racheter son... crime en sauvant la fille de sa victime?

— Oui. S'il n'y était pas parvenu, je crois qu'il se serait suicidé. Mais maintenant, c'est un autre homme... Excusez-moi.

Nous passions devant une fleuriste. J'entrai dans la boutique. Lorsque j'en ressortis :

— C'était pour envoyer à Mlle Parry? demanda Hélène.

— Oui.

Elle me prit le bras et plongea ses yeux gris, où dansait une lueur malicieuse, dans les miens.

— Nestor Burma, dit-elle sur un ton d'amicale gronderie. Est-ce que...

— Mais non, fis-je en me dégageant. Et puis, après tout, un détective privé et une fille de gangster...

— Cela ferait un joli couple, pour sûr. Cela donnerait surtout de curieux rejetons.

Paris-Châtillon, 1942.

BIBLIOGRAPHIE

a) *120 rue de la Gare.* S.E.P.E. (Société d'Éditions et de Publications Européennes), novembre 1943. Collection « Le Labyrinthe », n° 5.

b) Traduction tchèque : *Nadrazni Ulice Izo.* Svoboda, Prague, 1947.

c) Traduction portugaise, en feuilleton, dans le quotidien de Porto « O Primeiro de Janeiro », après le 21 novembre 1960.

d) Éditions Bel-Air, 1965. Collection « Détective Pocket » n° 51. (Édition pirate interdite par l'auteur.)

e) Préface de Gilbert Sigaux. Bibliographie de Francis Lacassin. Cercle du Bibliophile, Genève-Paris, 1971. Collection « Les Chefs-d'Œuvre du roman policier » n° 6.

f) Éditions Presses-Pocket, 1977. Collection « Presses-Pocket » n° 1535.

g) Éditions Fleuve Noir, septembre 1983. Collection « Spécial Police », n° 1825.

h) Dans *Léo Malet* tome I. Robert Laffont, 1985. Collection « Bouquins ».

i) Préface et bibliographie de Francis Lacassin. Union Générale d'Éditions, 1989. Collection « 10/18 » n° 1978.

Francis LACASSIN

TABLE

CET OUVRAGE A ÉTÉ REPRODUIT
PAR PROCÉDÉ PHOTOMÉCANIQUE
L'IMPRESSION ET LE BROCHAGE
ONT ÉTÉ EFFECTUÉS PAR LA
SOCIÉTÉ NOUVELLE FIRMIN-DIDOT
MESNIL-SUR-L'ESTRÉE POUR LE
COMPTE DE
CHRISTIAN BOURGOIS ÉDITEUR
ACHEVÉ D'IMPRIMER
LE 14 AVRIL 1989

Imprimé en France
Dépôt légal : janvier 1989
Nᵒ d'édition : 1878 – Nᵒ d'impression : 11917